POEMAS EXTRAÑOS

POEMAS EXTRAÑOS

Del Jardin al Cielo
Siglos XX, XXI

DE: LORENZO AMADO PERIÚ

ISBN: 978-1-967361-23-6 (sc)
ISBN: 978-1-967361-24-3 (e)

Rev. date:03/25/2026

CONTENTS - INDICE

"VARIABILIDAD/ DIVERGENTE"

DIFERENCIAS DE VERDADES,
DIVERSAS, UNIVERSALES, ÚNICAS,
DINÁMICAS, DIVINAS COMO LA NATURA;
DE MILLONES DE ESPECIES DIFERENTES.
VIVIMOS EN ESTE MUNDO.
Y TODAVÍA EN EL SIGLO XXI,
CON COMPUTADORAS
DE ALTA TECHNOLOGIA,
Y CELLULARES QUE HACEN CASI TODO
MENOS MUCHAS COSAS DIVERTIDAS,
NO CALCULADAS, NI PRESUMIDAS,
DONDE EL AVANCE CIENTÍFICO,
TERMO NUCLEAR Y TECNOLOGICO
HA ALCANZADO IRREFLEXIBLES
GRANDES ADELANTOS MODERNOS
PARA MEJORAR LAS CONDICIONES HUMANAS
DE TODAS LAS CRIATURAS DE DIOS.
PARA QUE PERDURE Y PROSPERE SIEMPRE
EL LLAMADO PLANETA TIERRA;
REINO SAGRADO EN LOS ESPACIOS
INFINITOS DEL CIELO.
ESTAMOS YA EN LA ERA DE ACUARIO
Y LAS SITUACIONES DRAMÁTICAS
SIGUEN SUCEDIENDO COMO
SIEMPRE HAN SUCEDIDO,
DESDE LOS MISMOS COMIENZOS
DEL PECADO ORIGINAL;
SE SIGUE REPITIENDO
LO MISMO ACTUALMENTE
Y VA EMPEORANDO CADA VEZ MAS.
TRAGEDIAS Y DRAMAS EXPELUZNANTES;

1

DESDE DANTES Y ANTES QUE ESCRIBIERA;
LA DIVINA COMEDIA, YA LA VIVIMOS,
Y TENEMOS QUE SEGUIR VIVIENDO ASÍ
NUESTRA INDISCUTIBLE VERDAD,
EN LA AVANZADA DESESPERADA...
DE LA SOBREVIVENCIA
DIARIA DE SIEMPRE
PARA SEGUIR SIENDO
LOS CLASICOS DEL FUTURO
CADA UNO EN SU PAPEL ORIGINAL ...
EN SU TIEMPO MARCADO DEL DESTINO
POR LA HORA INVICIBLE DEL SUSPENSO,
QUE NADIE SABRÁ SU ÚLTIMO SUSPIRO
DONDE SERÁ.
REPRODUCIÓN, TRASFORMACIÓN, DOLOR.
DESCUBRIMIENTOS ASOMBROSOS VENDRÁN
Y AUNQUE SABEMOS QUE TODO ES PARA MORIR;
POR EL CICLO BIOLÓGICO DE LA VIDA;
TENEMOS NUESTRO TIEMPO PARA VIVIR,
CON LA MISMA ESCENCIA DEL UNIVERSO
QUE NOS CREÓ SABIAMENTE
COMO SERES MORTALES
EN ESTE RIESGOSO MUNDO
QUE ALGUN DIA DESAPARECERÁ.

*

TU RISA

Te ríes con tal dulzura...
Que me dejas extasiado.
Y me siento...
Más enamorado
Cuando te veo reír.
Tu risa es como vivir
En un mundo de ilusiones.
Tu risa calma mis temores,
Y me hace sonreír.
Ríete si quieres de mí.
Ríete, con más candor,
Que pronto morderé la flor,
Que forman tus bellos labios...
Y no sentirás ningún agravio
Cuando te posea a ti
Porque reirás más feliz
Cuando bese tu boca...
Y apague tu risa loca,
Opacando el carmesí.

*

"DESPUÉS"

Después que te busqué para quererte;
¿Qué más quieres que te diga?
Después que hablamos la primera noche,
Al regresar para aquí.
Otra vez me agarró la vida,
Para vivirla por ti.
Fue lo que más anhelé...
Cuando no te tenía.
Había dejado de ser de mí.
Mi alma te había dado antes
Todo el amor que sentía.
Cuando sin querer te conocí.
Sin recibir nada a cambio;
De esta pasión tan fuerte
Que sentimentalmente me hace feliz.
Aunque viva sólo para amarte....
Sin besarte, ni abrazarte...
Aunque sólo viva...
Para quererte...
En esta casa,
Sin esperar nada todavía.
Me gusta más la vida,
Porque estoy lleno de amor
Por ti todos los días.
Prefiero vivir así, es menos triste,
Ya probé mi soledad cuando te fuiste,
Y en esa adversidad no dejé de extrañarte
Cada segundo del día.
Esta noche bajo la luna en Virgo
estamos juntos
Otra vez bajo el mismo techo

viviendo...
En camas separadas durmiendo...
Contigo aquí, puedo controlar mejor mi vida...
Aunque el control de tu timón para nuestro barco
De blancas velas...
Continúe navegando a la deriva

*

Agosto/06/1986.

LA MUERTE

ME MIRÓ, PERO NO LA VÍ;
LA MUERTE, ESTABA ALLÍ;
ME LLAMÓ, Y NO LE RESPONDÍ;
LA MUERTE ESTABA ALLÍ;
ME SILBÓ Y N0 FUÍ;
LA MUERTE ESTABA ALLÍ;
CONTINUÉ MI CAMINAR
ENTRE LA NEBLINA...
PENSÉ EN LOS AMORES EXTRAÑOS;
EN LAS MENTIRAS...
EN LO QUE HACE SUFRIR Y LLORAR;
POR COSAS PROMETIDAS.
ES AGRADBLE RESPIRAR, REÍR, SOÑAR...
Y GOZAR LA VIDA.
CUIDÉ MIS PASOS...
BAJO LA LUNA FRÍA
QUE EN LA NOCHE ME SEGUÍA;
Y NO PASÓ NADA MÁS...
TAN SÓLO AQUELLA
EXTRAÑA PESADILLA;
QUE PUDO HABER SIDO...
DESAPARICIÓN DEFINITIVA;
PORQUE ME MIRÒ...
Y NO LA VÍ;
ME LLAMÓ Y NO LE OÍ;
ME SILBÓ Y NO FUÍ.
PORQUE...
YO QUISE ESPERAR...
POR UNA BELLA MUERTE.

*

"FATAL DECLARACION"

¡NO! NO ME TENGAS LÁSTIMA;
NO ME MIRES CON TRISTEZA;
NO DIGAS LO QUE TU ALMA PIENSA;
AL ESCUCHAR MI CONFESIÓN;
QUE SIENTO EN MI CORAZÓN
Y EN MI VIDA DESTROZADA;
QUE NO PODRÉ SER AMADO,
COMO TE AMO YO.
Y VEO EN TU REFLEXIÓN,
LO QUE TUS OJOS DICEN Y EXPRESAN;
QUE SIENTES PENA, PENA INMENSA,
ESCUCHAR MI DECLARACIÓN;
POR NO SENTIR LA PASIÓN,
QUE YO SIENTO POR TÍ.
PERO A MI NO ME IMPORTA
TU NEGACIÓN;
CON SÓLO VERTE Y OÍR
TUS PALABRAS CRISTALINAS;
CALMO ESTA DESDICHA INFINITA;
DE MI AMOR NO CORRESPONDIDO;
Y MUY QUEDO, PERO NO RENDIDO;
SEGUIRÉ AMÁNDOTE MÁS...
AUNQUE NO ESCUCHES JAMÁS,
DE MIS LABIOS UNA QUEJA;
Y MI CORAZÓN QUE ESPERA,
AL PRESENTIR TODO ESTO;
QUEDARÁ, COMO SIEMPRE,
TRISTE Y CONTENTO;
CON SU RISA ALEGRE POR FUERA;
Y SU LLANTO ETERNO POR DENTRO.

*

"NUEVE MESES"

NUEVE MESES DE TEMOR
ESPERANDO LA CREACIÓN
QUE AL FIN NOS LLEGA
DESPUÉS DE TANTO REÍR
Y LLORAR POR TANTA ESPERA.
NUEVE MESES DE SOPORTAR
UNA AGRIDULCE CONDENA;
DONDE EL ALMA DESESPERADA
EMPIEZA A DUDAR...
BAJO LA LUNA LLENA.
NUEVE MESES PARA VER
LO QUE AL FIN NOS LLEGA
DESPUÉS DE TANTO ESPERAR
POR UNA VIDA NUEVA.
NUEVE MESES PARA NACER
OTRO CORAZÓN BAJO EL SOL
QUE NOS LLENARÁ DE ILUSIÓN
SU SONRISA Y SU BELLEZA.
UN NUEVO DESPERTAR
EN LA NOCHE SERENA,
UN INICIO QUE VA A CRECER
BAJO LAS ESTRELLAS.
NUEVE MESES NADA MÁS
PARA LA FLOR QUE LLEGA
A PERFUMAR EL ALMA ENCANTADA
DEL AMOR QUE DESPIERTA.

*

"NINE MONTHS"

NINE MONTHS OF AFRAID
WAITING FOR THE LOVE
THAT FINALLY ARRIVED
AFTER TO SUFFER
AND CRY
FOR SO LONG WAIT.
NINE MONTHS OF SUPPORT
THAT LARGE SENTENCE
WHERE THE DESPERATE SOUL
BEGIN TO DREAM
UNDER THE FULL MOON.
NINE MONTHS TO SEE
THE BORN OF ANOTHER HEART
THAT WILL BRING US ITS SMILE
AND ITS INNOCENCE BEAUTY.
A NEW AWAKE
IN THE SERENE NIGHT.
A BEGIN OF LIFE THAT
IS GOING TO GROW UP
UNDER THE STARS.
NINE MONTHS ONLY
FOR THE FLOWER
THAT NICE ARRIVE
TO PERFUME THE CHARMER
SOUL
OF THE LOVE THAT AWAKE.

*

"LA PIEDRA"

POR QUÉ ESA MALDITA PIEDRA
¿SE ATASCÓ EN NUESTRO
CAMINO DE AMOR?
¿POR QUÉ NO SIGUIÓ
SU EXTRAVAGANTE RUMBO?
PERDÍENDOSE EN EL TUMULTO
DE LAS PIEDRAS SIN VALOR
¿POR QUÉ EL VIENTO NO LA HUNDIÓ
EN UNAPROFUNDA LAGUNA?
SI TU ALMA ERA PURA,
COMO EL AGUA DE UN MANATIAL
Y ESA PIEDRA SIN PIEDAD
MANCHÓ CON CIENO TU ESPUMA.
¿POR QUÉ NO SE DESVANECIÓ?
ANTES DE ENCONTRARSE CONTIGO
¿POR QUÉ ME DIÓ ESE CASTIGO?
¿POR QUÉ ME TRAJO DOLOR?
¿POR QUÉ PARA TÍ BRILLÓ?
COMO SI FUERA UN DIAMANTE
SI YO ERA EL BRILLANTE
QUE POSEÍA TU CORAZÓN.
YA VES TU PIEDRA DEL MAL
COMO MARTIRIZÓ ESTE AMOR.
PERDERTE POR UNA PIEDRA, NO.
ME ENGAÑO, NO PUEDO
PERDERTE ASÍ...
SI SUPIERAS COMO SUFRÍ...
SI SUPIERAS QUE ME HIZO DAÑO.
UNA PIEDRA SIN COLOR
EN UNA MADRUGDA FRÍA,
NO ES UNA FANTASÍA

PARA ALIVIAR LA SOLEDAD;
NO ES TAMPOCO VANIDAD,
NI TERNURA, NI PLACER;
LA TOMÁSTE SIN QUERER
Y TE LUCISTE CON ELLA
COMO SI FUERA UNA ESTRELLA
QUE NACE AL AMANECER;
LA TOMÁSTE SIN SABER,
QUE ES ALGO SUCIO...
Y MEZQUINO...
QUE ES COMO CORTAR UN PINO
AL NACER LA PRIMAVERA;
QUE ES UNA MALA YERBA,
ENREDADERA,
LLENA DE AFILADAS ESPINAS...
HABLÁNDOTE DE PAMPLINAS,
SE ABRIGÓ CON TU MANTO...
Y SE DESBORDÓ MI LLANTO,
AL VERLA JUNTO A TÍ
COMO SI FUERA UNA HIEDRA;
YO BUSCÁNDOTE A TÍ....
Y TÚ CON UNA SUCIA PIEDRA.

*

"CONSEJO SANO"

COMA LO QUE PUEDA;
VAYA DONDE QUIERA;
MIRE LO QUE ANHELA;
Y CAMINE.
CANTE SI DESEA;
VISTA LO QUE TENGA;
DIGA LO QUE SIENTA;
Y CAMINE.
CUIDE EL CORAZÓN;
CON MÚSICA Y PASIÓN;
ALIVIE SU TEMOR;
Y CAMINE.
ACUDA A SU DOCTOR
SI TIENE ALGÚN DOLOR
RESPIRE A TODO PULMÓN
Y CAMINE.
NO SUFRA POR AMOR
ES EL MEJOR CONSEJO
QUE HOY LE DOY.
HAGA LAS COSAS
CON DEVOCIÓN
Y CAMINE.

*

"NUEVA SONRISA"

SOY MUY FELIZ CUANDO TE VEO;
NO ES EXTRAÑO,
QUE MI AMOR SONRÍA POR TÍ;
EN ESTE SIGLO DONDE CON
ALGÚN VALOR PODEMOS
CONOCER JUNTOS
UN NUEVO COLOR
PARA NUESTRAS VIDAS;
CUANDO NO ESTÉS TRABAJANDO;
EN TUS DÍAS LIBRES;
PIENSA QUE YO
ESTOY PENSANDO EN TÍ...
Y LLÁMAME ...
PORQUE PODRIAMOS
CONOCER JUNTOS
UNA NUEVA SONRISA
PARA NUESTRO AMOR

*

"A NEW SMILE"

I'M VERY HAPPY
WHEN I SEE YOU!
IT'S NOT WEIRD,
THAT MY SOUL
SMILE WITH YOU
IN THIS CENTURY
WHERE WITH SOME VALOR
WE CAN KNOW TOGETHER
A NEW COLOR FOR
OUR LIFES.
WHEN YOU ARE
NOT WORKING
IN YOUR DAYS OFF...
AND YOU ARE FEELLING
LONELY.
THINK THAT
I'M THINKING OF YOU
AND CALL ME... BECAUSE...
WE COULD TOGETHER FIND
A NEW SMILE TO OUR LOVE.

*

"LOS OTROS Y YO"

LOS OTROS, QUIZÁS ESTÉN MUERTOS...
Y SÓLO YO, ESTOY AQUÍ CON MI AMOR
PARA DECIR CON VALOR
LO QUE LOS OTROS NUNCA PENSARON.
LA VIDA DE NUESTRAS ALMAS
NECESITA PREGUNTAR...
POR NUESTRA COMUNICACIÓN;
EL MIEDO MAÑANA
DESPERTARÁ TEMPRANO;
Y OTRO DIA YO VIVIRÉ,
SIN PALABRAS TUYAS
OTRO AMANECER DE SOLEDAD
SE DESPEDIRÁ CALLADO
Y YO NO SABRÉ DECIR
LO QUE HA PASADO.
LAS OTRAS ALMAS...
TAL VEZ NO ENTIENDAN
SUFICIENTEMENTE BIEN...
LO QUE YO SENTIRÉ
CUANDO PUEDA HABLARTE
A SOLAS;
YO CREO QUE VAMOS
A REÍRNOS MUCHO;
TAMBIÉN VAMOS A SENTIR
ALGUNA COSA NUEVA
QUE NADIE NUNCA SINTIÓ.
LOS OTROS QUIZÁS
ESTÉN MUERTOS...
Y SÓLO ESTOY AQUÍ...

PARA CONSOLARTE;
PARA DECIRTE SERENAMENTE;
LO QUE SÓLO YO EN INTIMIDAD
PODRÉ COMUNICARTE CON AMOR.

*

"VERDE ESPERA"

A VER CUÁL DE LOS DOS...
RESULTA MÁS INTERESANTE...
TU ALMA CONMIGO;
MI ALMA CONTIGO;
COMPRIMIENDO LOS SENTIDOS
FORMAMOS PENSAMIENTOS FUERTES;
REALIZARLOS ES LO DIFÍCIL,
EN ESTE MUNDO DE ENSUEÑOS.
CON LA ESPERANZA COMÚN
DE ENCONTRARNOS ALGO BUENO;
SOBREVIVIMOS DIARIAMENTE,
MATANDO OTROS TIEMPOS
DEL TRISTE PASADO.
CUANDO FLORECE EL VERDOR
DE LA ESPERANZA MARCHITA,
LLEGA TAMBIÉN EL AMOR
A CURARNOS LAS HERIDAS.

*

"BLOQUES ABIERTOS"

SON BLOQUES ABIERTOS,
DE TODO ESO QUE TUVO
UN TIEMPO Y SE CERRÓ
POR MÁS DE MEDIO SIGLO.
DE TODOS ESOS AÑOS,
QUE FUERON DE VIDA
Y DE PRONTO SE QUEDARON
DURMIENDO POR TIEMPO
INDEFINIDO;
QUEDANDO CASI OLVIDADOS.
MUCHAS GENERECIONES
PERDIDAS
PEOR QUE EL HLOCAUSTO.
QUE MATÓ JUDIOS
EN CONCENTRADOS CAMPOS.
Y LOS INFELICES QUE MURIERON
EN GUERRAS CRUELES QUE DURARON
MUCHOS DESPERDICIADOS AÑOS.
SON BLOQUES ABIERTOS HOY;
POR TODA LA NET Y LA WEB;
POR LOS NUEVOS ADELANTOS...
Y SEGUIRÁN ABIERTOS
MÁS QUE NUNCA AHORA,
SACADOS AL MUNDO
DESDE LO MAS PROFUNDO
DEL BAÚL DE LOS SABIOS;
SON BLOQUES ABIERTOS
QUE DESPIERTAN AHORA
Y SE QUITAN EL POLVO
DE LOS TIEMPOS PASADOS;
VUELVEN A VIVIR COMO NUEVOS

DESPUÉS DEL LETARGO;
Y SE PROYECTAN AL SOL,
A LA LUNA,
AL CIELO A LA BRISA
AL MAR, AL CAMPO.
SE FORMAN BLOQUES LIBRES
DE VERDADERA INFORMACIÓN
DE LUCHA Y DE CANTOS.
DE CIBERNÉTICA DIGITALIZADA
SON BLOQUES ABIERTOS
PARA LA GENTE CIVILIZADA
EN ESTE NUEVO SIGLO
MAS COMUNICATIVO
CON LAS NUEVAS REDES SOCIALES.
POR LAS
COMPUTADORAS MODERNAS,
TABLETS
Y LOS PRACTICOS LAPTOPS
Y POR LO TELEFONOS
CELLULARES INTELIGENTES
PODEMOS DISFRUTAR DE CASI TODO
LO MEJOR QUE BRINDA ESTE AVANZADO
SIGLO XXI.

*

"PARA MI VIDA"

QUISIERA CONOCERTE
PORQUE DESEO
DISFRUTAR JUNTOS
BELLOS MOMENTOS ...
.QUISIERA TENERTE CONMIGO
PORQUE TE QUIERO AMAR;
ABRAZARTE FUERTEMENTE,
APASIONADOS LOS DOS ...
CON TERNURA BAJO LA PIEL SEXUAL...
OLVIDANDO EL TIEMPO.
LLENOS DE SENSUALIDAD,
EN NUESTRO ESPACIO SECRETO.
PARA NUESTO IDILIO DE AMOR.
TAMBIÉN;
QUIERO DE TU BELLA BOCA
BEBER DE LA FUENTE
SAGRADA DE LOS BESOS
DE LA DIVINIDAD SUBLIME.
DEL MANANTIAL DE TU ARDIENTE
PIEL PEGADA A LA MIA.
PARA MI VIDA TÚ Y YO
SER FELICES.
QUISIERA HABLARTE DEL
LIBRE AMOR;
DE LOS 60's y 70'S
DE LA PAZ Y La FE.
DE LAS ROSAS, SIN GUERRAS.
QUISIERA TENERTE
EN MI LECHO DE FLORES;
ESTAR UNIDOS, VIVIR CONTENTOS;
QUISIERA LLEVARTE ...

HASTA EL FIRMAMENTO PROFUNDO
CALIDAMENTE SEXUAL DE LA CARNE;
INTIMIDAR, SENTIRTE, DEVORARTE,
GOZAR EL NECTAR DE TU DULZURA
PENETRAR TUS SECRETOS...
COMPARTIR NUESTROS SENTIMIENTOS.
PARA MI VIDA, PARA NUESTRAS VIDAS;
PARA EN ESTE MUNDO QUE HABITAMOS
SER FELICES LOS DOS HASTA QUE MURAMOS.

*

"TIMO"

¡AY, DE AQUELLOS MALDITOS TIMADORES!
¡AY, DE LOS QUE FUERON TIMADOS!
QUE DESCONOCIAN EL TIMO;
POR LO QUE FUERON ESTAFADOS;
HAY TANTAS FORMAS DE TIMO;
MUCHOS SON NUEVOS, INVENTADOS;
COMO RECUERDO A POE...
FUE EL QUIEN NOS HABÍA AVISADO;
POCOS LO HABRÁN LEÍDO;
POCOS LO HABRÁN RECORDADO.
MALDITOS SON ESOS CANALLAS
QUE PRACTICAN EL TIMO.
SERÁN POR SU MALDAD MALDECIDOS;
POR MALNACIDOS Y MALVADOS;
LOS INFELICES SUFRIDOS QUE FUERON
VILMENTE ENGAÑADOS;
APELARÁN A LA JUSTICIA,
PARA QUE SEA EL TIMADOR CATIGADO.
Y APRENDERAN A VIVIR
SIN SER MAS NUNCA TIMADOS;
ES EL TIMO PEOR QUE EL LADRÓN
QUE ROBA A LO DESCARADO.

*

"HAY SERES"

HAY SERES QUE NO MERECEN
QUE UNO LOS AME;
PORQUE NO SENTIRAN NUNCA
TODO LO QUE SENTIMOS
POR ELLOS.
SON CASOS PERDIDOS...
SI TE EMPEÑAS CON ESO
DE SACRIFICAR TU TIEMPO,
DEJANDO ATRÁS...
OTROS SENTIMIENTOS
POR LOS INTENTOS ALUSIVOS;
TE PESARÁ DESPUÉS.
QUE SE LO HAYAS DICHO.
HAY SERES QUE NO MERECEN
QUE UNO LOS QUIERA
PORQUE SON SERES VACIOS.
SI PERSISTES EN TU INTENTO
AMOROSO...
DEJANDO A OTROS QUE ESTÁN
BUSCANDO RECIBIR ESE BELLO AMOR
ROMÁNTICO, SOÑADO, ANHELADO
QUE ESTÁS DANDO A UN PERDIDO,
TE ARREPENTIRAS DESPUÉS
CUANDO SEA TARDE YA
Y AL FINAL COMPRENDAS;
QUE NO VALE LA PENA
SUFRIR TANTO
POR UN SER QUE
NO SIENTE LO MISMO.

*

"MI ALMA"

CUIDA TU ALMA;
LLÉNALA DE AMOR
NO LA MALTRATES
¡ÁMALA MÁS QUE
A TÍ MISMO!
¡ÁMALA CON PASIÓN!
LAS VECES QUE NO
LE HE HECHO CASO
A MI ENCANTADA ALMA;
ES CUANDO
HE COMETIDO ERRORES
QUE ME HAN PESADO LUEGO.
ERA MUY JÓVEN TODAVÍA;
NO SABÍA COMO GUIARME
AL TOMAR SERIAS DECISIONES;
POR ESO AHORA
ME GUIO POR MI ALMA;
Y ME SIENTO SEGURO
DE MIS ACCIONES.
EL ALMA DICE SIEMPRE
LO QUE ES MEJOR PARA VIVIR
EN ESTOS TIEMPOS
DE INCERTIDUMBRE
DONDE NO SABEMOS
SI VIVOS AMANÉCEREMOS
AL DESPÉRTARNOS MAÑANA.
ALMA DIVINA,
ALMA ENCANTADA
GRACIAS A TÍ ESTOY VIVO HOY.

*

"AL DESPERTAR"

CADA DÍA PARA LOS QUE ESTAMOS
AQUÍ RESPIRANDO AÚN,
EN ESTE PLANETA DONDE VIVIMOS;
HABITANTES DE LA TIERRA;
CADA UNO, INDIVIDUAL Y
ÚNICO EN SU VIDA,
EN SU ESPACIO EXCLUSIVO,
CON EL TIEMPO CONTADO
EN SU PERSONAL EXISTENCIA ...
CADA CUAL CON SU HISTORIA;
CON SU SITUACIÓN PRESENTE,
CON SU GLORIA O CON
SU INFIERNO;
TIENE QUE ACEPTAR
LA REALIDAD ACTUAL
EFECTIVA CON VALOR Y SIN MIEDOS.
Y CONFORMARSE SIN PROTESTAR
CON LAS HORAS BELLAS O FEAS
DEL NUEVO DÍA...
PARA CONTINUAR...
CADA UNO CON LA ACCIÓN
Y EL MOVIMIENTO DIGITAL,
DEPENDIENDO DEL CELULAR
EN CADA MINUTO O INSTANTE
QUE TENGAMOS EN EL RETO DE
LA LUCHA POR LA VIDA;
AL DESPERTAR ESTÁS
VIVO Y CONSCIENTE;
UNA PRUEBA MÁS
DE TU RESISTENCIA
FÍSICA Y MENTAL;

DESDE QUE TE LEVANTAS
AL ENCUENTRO DEL SOL.
NO OLVIDES QUE VIVES.
EXISTES Y ERES EL DUEÑO
ABSOLUTO DE TU PERSONA
COMO TERRÍCOLA, COMO
HUMANO.
NACEMOS PARA EL BIEN,
Y SOMOS CONDENADOS
POR EL MAL.
EL AMOR SUBLIME
DEL CORAZÓN SANO
NOS SALVA.
ES LA GRACIA DEL CIELO.
LA RECIBIMOS Y LA HEREDAMOS
DE OTRAS ALMAS BUENAS,
PORQUE NOS AMAMOS
Y SABEMOS AMAR,
AL DINTIGUIR SABIAMENTE
DEL BIEN Y DEL MAL.

*

"MI SOLEDAD"

CONOZCO MI SOLEDAD,
CUANDO CRUZA POR MI LADO,
ESTA AMARGA REALIDAD,
QUE NOS TIENE SEPARADOS;
VIVIR ASÍ ...DESENCADENADOS;
ES COLMARSE DE TEMOR;
ES SUFRIR DE ANGUSTIA
ATORMENTARSE;
ES LLENARSE DE RENCOR.
COMO AHOGADO DE LLANTO;
COMO SOPORTANDO UN DOLOR,
COMO SUFRIENDO UNA PENA;
COMO AMARRADO AL AMOR;
COMO SINTIENDO TUS BESOS;
COMO SINTIENDO ILUSIÓN...
SOLO CON MI DESCONSUELO;
SOLO CON MI PASIÓN;
SOLO CON TU RECUERDO
Y SOLO CON MI CLAMOR.
NO ME DES MAS AGONÍA;
QUE SIENTO MUCHO TEMOR
PERDERTE VIDA MÍA....
ES PERDER MI CORAZÓN;
NO ME DEJES SOLO AMOR MÍO
NO TE VAYAS POR FAVOR;
QUE YA SIENTO EL FRÍO
QUE TU SOMBRA ME DEJÓ.
Y TENERTE ENTRE MIS BRAZOS...
YA NO PUEDO;
SUFRIENDO TU INCOMPRENSIÓN;

SOLO CON MI DESCUENSUELO;
SOLO CON MI DOLOR;
SOLO CON TU RECUERDO
Y SOLO CON MI CANCION.

*

"EL CINE"

AMO AL CINE Y TODAS LAS PELÍCULAS;
LAS SILENTES, CLÁSICAS Y MODERNAS;
LAS DE ACCIÓN, LAS DE GUERRA, LAS DE CULTO,
LAS DE HORROR, LAS DE CIENCIA FICCIÓN,
LAS DE MISTERIO,
LAS DE SUSPENSO, LOS DRAMAS
Y LAS COMEDIAS.
LAS SUBREALISTAS, LA NO REALISTAS,
LOS FILM NOIR,
LAS PSÍCODELICAS, Y LAS EXISTENCIALISTAS.
LAS DE VAMPIROS, LAS DE MONSTRUOS
Y LAS DE FANTASIAS.
DESDE QUE COMENZÓ EL CIENEMATOGRÁFO
HACE MAS DE UN SIGLO ME CAUTIVÓ EL CINE.
POR ESO LO AMO TANTO DESDE NIÑO.
ME TRANSPORTA, ME EDUCA
Y ME HACE FELIZ.
HA SIDO LA PRINCIPAL
CULTURA DE LOS PUEBLOS,
DE LOS ANALFABETOS, DE LOS SABIOS.
ME ENCANTA EL CINEMASCOPE,
COLOR DE LUXES,
PANAVISÓN, TECHNICOLOR, METROCOLOR,
EN BLANCO Y NEGRO,
SEPIA, CINERAMA, PANORÁMICA
Y TERCERA DIMENSIÓN.
Y AHORA EL CINE SE HA DESARROLLADO
MÁS QUE NUNCA;
EL SEPTIMO ARTE DE LOS NUEVOS TIEMPOS;
ESTÁ SUPER EVOLUCIONADO
EN SU DIGITALIZADA MAGNIFICENCIA

CINEMATOGRAFICA DE ESTE SIGLO.
ESA MARAVILLA CREADA POR
LA MENTE HUMANA;
HA LOGRADO GRANDES AVANCES
HACIA EL FUTURO
ESA UNIÓN DEL CINE MUNDIAL
CON TODOS LOS PAISES.
ESA GRACIA DIVINA DE CONOCER
TODAS LAS ARTES COMBINADAS
EN UNA SOLA FACETA: MÚSICA, DRAMA,
COMEDIA, PINTURAS Y TODO TIPO
DE TRAMAS E HISTORIAS INTERESANTES.
OBRAS MAESTRAS DEL SER HUMANO;
HAN SURGIDO Y HAN PERDURADO
GRACIAS AL CINE.
TODOS LOS PAISES QUE HACEN PELÍCULAS,
SE DAN A CONOCER Y PODEMOS DE ELLOS
SABER COMO ESTÁN LAS COSAS EN EL PLANETA.
LOS FESTIVALES DE FILMES INTERNACIONALES
SOBRETODO SON MUY IMPORTANTES;
PODERLOS VER Y SABER DE
TANTAS COSAS NUEVAS.
AMO AL CINE, AMO
A LOS REALIZADORES,
A LOS PRODUCTORES
A LOS DIRECTORES Y
A LOS PROTAGONISTAS.
PERO SOBRE TODO
A LAS FAMOSAS
ESTRELLAS DE HOLLYWOOD.
POR EL CINE SABEMOS
A CIENCIA CIERTA;
LO QUE NADIE NO NOS
HUBIERA DICHO NUNCA.

GLORIA ETERNA AL CINE;
INVENTO DEL SIGLO XX
DIGITALIZADO EN EL SIGLO XXI.
SUPREMACIA DEL CELULOIDE
DE LA PANTALLA ANCHA Y CHICA.
HOLLYWOOD CON SUS OSCARS,
ES LA MECA.
ESPAÑA CON SU GOYAS
Y FRANCIA CON LOS CESARS
LOS OTROS PAISES
CON LA PALMA DE ORO,
EL OSO DE PLATA, ECT.
QUE HAN GANADO MUCHO
PRESTIGIO INTERNACIONAL.
GRACIAS AL CINE
EN TODOS LOS TIEMPOS
VIVIDOS Y SEGUIRÁ VIVIENDO;
CADA VEZ MÁS INNOVADOR
Y PLACENTERO.
AMO MUCHO AL CINE,
AMO LAS PELÍCULAS.
QUE VIVA, EL CINE,
QUE NUNCA MUERA.

*

"A JOSE MARTI!"

APÓSTOL DE CUBA;
INTELECTUAL DEL ALMA;
GRACIAS A TÍ LOS CUBANOS
NOS LIBÉRAMOS DE ESPAÑA
Y ADEMÁS NOS HEREDASTE
TU CULTURA; TU EJEMPLO,
TUS LIBROS, TUS IDEALES
Y TU AMOR POR LA PATRIA.
ORGULLOSO NOS SENTIMOS
POR TU GRANDEZA DE ALMA.
NOS DEJATE EL LEGADO SOCIAL,
POLÍTICO Y CULTURAL BELLO
DE L A LIBERTAD.
EL PENSADOR MÁS GRANDE
QUE HA DADO CUBA.
LEA TODO EL MUNDO
SUS OBRAS MAESTRAS:
LA EDAD DE ORO, PARA
LOS NIÑOS Y ADULTOS,
SUS ENSAYOS Y POEMAS;
SUS ESCRITOS POLÍTICOS;
LOS PENSAMIENTOS MARTIANOS
PERO, SOBRE TODO
NO DEJEN DE LEER
SUS VERSOS SENCILLOS.
COMO ESTE PRECIOSO VERSO
"Yo vengo de todas partes
Y hacia todas partes voy
Soy arte entre las artes
Y en el monte, monte soy"
ALGUNOS DE ELLO ESCOGIÓ

PETER SEEGER PARA CANTAR
"LA GUANTANAMERA".
QUE COMENZABA ASI:
"YO SOY UN HOMBRE SINCERO
DE DONDE CRECE LA PALMA;
Y ANTES DE MORIRME QUIERO,
ECHAR MIS VERSOS DEL ALMA."
¡OH! MARTI, MAESTRO MIO,
MARAVILLOSA GUIA ESPIRITUAL
DE MI INTELECTO.
TE LLEVO POR SIEMPRE
EN EL RECUERDO MAS
PURO Y SINCERO QUE GUARDO
EN MI CORAZÓN.

*

"EL SIDA"

ES UNA CRUEL ENFERMEDAD
QUE DA GANAS DE LLORAR
AL QUE TENGA QUE SUFRIRLA;
PORQUE ES EN REALIDAD
UNA TERRIBLE AGONÍA;
HAY QUE VERLA CON SERIEDAD
PARA QUE NADIE SE RIA.
ES UNA COSA TRISTE Y MALVADA
QUE NO SE PUEDE CURAR;
ES UNA MARCA MACABRA
QUE NADIE PUEDE QUITAR.
ES LA MALDICIÓN QUE CASTIGA,
A LOS QUE NO SE PROTEGIERON
A LA HORA DE GOZAR.
UNA FUNESTA CALAMIDAD;
QUE TE PUEDE CONTAGIAR
SI NO TE CUIDAS BIEN,
QUE TE LIMITA A ESPERAR
EN LA DESESPERACIÓN DEFINITIVA,
QUE SE DEBE CONTROLAR,
CON RESIGNACIÓN PASIVA.
ES LA PUNTA DE LA ESPINA
QUE SE ENCONA HASTA MATAR
A LA INOCENTE VÍCTIMA
QUE ESPERA CON ANSIEDAD
LA CURA DE ESE MAL
PARA PROLONGAR LA VIDA.

*

"AL PINTOR CUBANO RENATO MARTINEZ PEÑA" (1953-2016)

TIENE DEL PRÍNCIPE LA NOBLEZA
SUS OBRAS SON LAS BELLEZAS
DEL PALACIO REAL.
EL PINTA PARA ALEGRAR,
LA VISTA DE LOS DISTRAÍDOS.
PINTA PARA SUS AMIGOS...
Y PARA QUIEN LO QUIERA APRECIAR.
NO DESEA REFLEJAR LO TRISTE,
NI LO DEPRIMENTE.
TRABAJA SIEMPRE SONRIENTE
CUANDO LE DA POR PINTAR.
NO PODEMOS DETECTAR
CUAL DE SUS CUADROS
ES EL MÁS BELLO.
TODOS POSEEN EL SELLO
DE SU MAGIA SIDERAL.
SUS PINTURAS NOS HACE
RECORDAR
TEMAS DE HERMOSAS
CANCIONES.
ALEGRA LOS CORAZONES
Y NOS HACE SUSPIRAR.
CON TERNURA ANGELICAL
CREA LAS FLORES DEL PARAISO.
CON ENTUSIASMO BENDITO
VUELAN LAS MARIPOSAS DE FIESTAS;

CONFUNDIENDO LA FORESTA
CON SU GAMA DE COLORES.
RÍTMICAMENTE COMPONE
AL TONO DE LA NATURALEZA.

*

"AMANDO POR GUSTO"

DESPUÉS DE VIVIR TANTO TIEMPO JUNTOS,
SIN BESOS, NI CARICIAS;
NI NADA MUTUO...
ESPERANDO EL ENCUENTRO
PASIONAL
DEL AMOR EN LAS DELICIAS,
AMANDO POR GUSTO,
SIN RECIBIR CÁLIDOS ABRAZOS,
SÓLO DOLORES INJUSTOS,
TRISTEZAS, DECEPCIONES,
AGUANTE PROFUNDO.
DANDO SIN RECIBIR
NADA A CAMBIO,
SÓLO MALTRATOS INJUSTOS;
ME FUISTE ACOSTUMBRANDO
A SOPORTAR TU RECHAZO
A VIVIR EN TU RARO MUNDO.
Y AL FINAL DESPUÉS DE TODO
TE FUISTE POR OTRO RUMBO.
Y AHORA QUE ME DEJASTE,
QUISIERA PERTENECER A LOS
DE CORAZONES JUSTOS.
NO A LOS BAJOS DE CORAZÓN,
NI A LOS SERES CORRUPTOS.
ANTES DE REBAJARME A OTRO
NUEVO QUERER,
DESEANDO EL CUERPO TUYO,
PREFIERO VIVIR SIEMPRE
EN LA SOLEDAD;
MANTENIEDO MI AMOR PURO.
ME QUEDARÉ AQUÍ OLVIDÁNDOTE,

SEGUIRÉ ASÍ
PARA SALVARME DE MORIR;
SIN ENTREGARME EN CUERPO Y ALMA
A NADIE JAMÁS,
NUNCA MÁS A NADIE
ME ENTRAGARÉ ...
AMANDO POR GUSTO.

*

Julio 01, 1990

"DESVELO"

DE NOCHE ...
CUANDO LA OSCURIDAD PROVOCA
SOMBRAS FANTASMAGÓRICAS,
ALREDEDOR DE MI LECHO
DONDE LOS TULES SE AGITAN
POR EL DESPIADADO VIENTO,
Y LOS GRILLOS GIMEN Y CANTAN
SUS HIMNOS VIOLENTOS;
¡NO SIENTO SUEÑO!
DE NOCHE ...
CUANDO TODO PARECE MORIR
BAJO EL NEGRO CIELO,
Y TODO PARECE SER ...
EL SIGNO DEL DESCONSUELO,
¡NO SIENTO SUEÑO!
DE NOCHE ...
CUANDO LA LUNA PENETRA
POR MI VENTANAL ABIERTO
Y SE HACE UN ESCENARIO
DE SOMBRAS ...
LA LUZ INQUIETA
DE MIEDO ...
¡QUIERO GRITAR!
¡A LOS CUATRO VIENTOS!
CLAMANDO UN AMOR ...
QUE MATE MI DESVELO ...
¡NO SIENTO SUEÑO!
¡NO SIENTO SUEÑO!
Y DE MI INTERIOR SALE UNA VOZ
QUE PUEDE MAS QUE EL SILENCIO;
Y GRITA LLENA DE ARDOR;

¡UN CUERPO DESNUDO, FEBRIL!
¡HERMOSO, ESBELTO!
QUE ME EMVUELVA EN SU PIEL,
QUE ME EMBRIAGUE DE BESOS,
QUE ME LLENE DE ABRAZOS;
QUE ME CALME MIS DESEOS;
ENTREGADOS AL PLACER
DE GOZAR LOS DOS ...
FELICES EN EL LECHO;
PARA ABRAZARLO TAMBIÉN,
PARA APRETARLO FUERTEMENTE
CONTRA MI PECHO,
PARA PODER SENTIR
LA SENSACIÓN ÍNTIMA
DEL PLACER SEXUAL ...
FUNDIDA EN UN SÓLO BESO.
HASTA QUE AL FIN BROTA DE MÍ,
COMO UN VOLCÁN DE FUEGO
LA LLAMARADA REFULGENTE
DENTRO DEL CALOR
DE MI CUERPO,
Y RELAMPAGEAN MIS OJOS
Y CONVULSIONA MI CEREBRO
HASTA QUE TODO ...
QUEDA EN CALMA;
PASA Y DESAPARECE
MI RECUERDO....
CALMÁNDOSE ASÍ ...
TAMBIÉN MI DESEO.
Y ALIVIÁNDOSE MI MAL,
SE DESTRUYE EL PENSAMIENTO...
CIERRO LOS OJOS AL FIN;
DESPUÉS DE UN LARGO SILENCIO,
DUERMO TRANQUILO YA,

NO DESPERTARÉ NI UN MOMENTO;
HE QUEDADO RENDIDO,
RENDIDO, COMO UN MUERTO;
Y AL LLGAR LA AURORA,
SÓLO SÉ QUE DESPIERTO.

*

"HALLOWEEN 1982"

LA CASA GRANDE DE LOS GATOS FELICES
UBICADA en la calle 1315 STEVENSON, EN S.F.
RECIBIÓ A LAS 11: 55 P.M. EL MISTERIO NOCTURNO
DE LA APARICIÓN DE UN HADA BELLA
QUE NADIE HABÍA VISTO JAMÁS
EN NINGÚN CUENTO DE NIÑOS.
ENDULZÓ CON MIEL DE ABEJA
LAS CALABAZAS HECHAS ROSTROS
ALEGRES, DIABÓLICOS Y TRISTES,
DE LA MÁGICA NOCHE DEL
ÚLTIMO DÍA DEL MES OCTUBRE,
EN LA FIESTA DE EXÓTICOS
DISFRACES Y HORRIBLES CARETAS;
Y TODOS LOS FELINOS DEL BARRIO
SE PUSIERON MUY CONTENTOS,
Y SE VOLVIERON MÁS EXCÉNTRICOS
BAILANDO ALEGRES, DISFRUTANDO
DE AQUEL SUBLIME MOMENTO.
HABÍA SIDO LA VIEJA BRUJA LILLY,
QUE AL FINAL DE SUS EXPERIMENTOS
POR ALACANZAR EL BIZARRO PODER
DE NO ENVEJECER, NI FALLECER,
ENCONTRÓ EL SORTILEGIO AL FIN
QUE LA TRASFORMÓ EN UNA
HERMOSA HADA BUENA...
Y FUE LA REINA CORONADA,
ESA INOLVIDABLE
NOCHE DE HALLOWEEN.

*

"ORACIÓN AL AGUA"

¡AGUA SAGRADA Y PODEROSA!
¡AGUA ADORABLE, AGUA PURA!
¡AGUA PROTECTORA! ¡AGUA BUENA!
¡AGUA LIMPIA Y CRISTALINA!
¡AGUA SANTA Y BELLA!
MANANTIAL INAGOTABLE
DE ENERGIA PURIFICADORA.
¡AGUA DE LLUVIA! ¡AGUA DE MAR!
¡AGUA DE RIOS Y DE ARROYOS!
¡AGUA SALVADORA DE LUZ!
PROTÉGENOS DE TODO MAL;
DE TODO MALEFICIO.
LÍMPIANOS DE CUALQUIER HECHIZO,
DE TODA MALDAD;
DE TODA BAJEZA Y HUMILLACIONES.
LÍBRAME DE CUALQUIER INJUSTICIA,
QUE SE PRETENDA EJERCER SOBRE MÍ.
¡AGUA BENDITA! ¡AGUA HERMOSA!
AGUA DE FLORES, AGUA FRESCA,
AGUA DIVINA, AGUA MÁGICA,
DESCUBRE TU PODER SOBRE NOSOTROS
QUE TE AMAMOS LLENOS DE GRATITUD
POR TU IMPRESINDIBLE SERVICIO
DE AMOR PURO Y BELLO
COMO TUS TRANSPARENTES
GOTAS DE ROCIO CADA AMANECER.
¡AGUA CELESTIAL! ¡AGUA FLORIDA!
¡AGUA DE LAS FUENTES! ¡AGUA FUERTE!
¡AGUA VIRGEN! ¡AGUA DIOSA!
¡AGUA AMIGA! ¡AGUA DULCE!
¡AGUA HELADA! ¡AGUA TIBIA!

¡AGUA CALIENTE Y FRÍA!
DEFIÉNDENOS DE LA PERVERSIDAD,
DE NUESTROS ENEMIGOS,
DE LOS ENVIDIOSOS, Y EQUIVOCADOS
Y DEVÚELVELE CON CRECE
A LOS MALIGNO Y A LOS VILLANOS
SU VIL MALDAD.
¡AGUA INMENSA, LLENA DE PODER!
¡AGUA ENCANTADA DE LUZ SOLAR!
¡GRACIAS, MUCHAS GRACIAS!
POR TU MARAVILLOSA PROTECIÓN. AMÉN

*

"EL PELIGRO"

PELIGROSAMENTE VIVIMOS
LOS SERES VIVOS DE LA TIERRA.
BAJO EL MISMO CIELO
DONDE NACEMOS IGNORANTES;
LUCHANDO A DIARIO
POR SOBREVIVIR;
PARA PAGAR CON DINERO
LA EXISTENCIA HUMANA.
POCO PREPARADA
ESTÁ LA MENTE
PARA CRÉERLO;
PREÑADA DE
TANTOS SENTIMIENTOS
DEL CORAZÓN.
LA CIENCIA ENDURECE
SIN FANTASÍAS,
Y LAS ESTADÍSTICAS SE AJUSTAN
A LA RAZÓN.
UN TORO PUEDE EMBESTIR
A UN NIÑO JINETE DE
UN CABALLITO DE MADERA;
UN AUTO TAMBIÉN PUEDE
ATROPELLAR EN LA CALLE
A UN INOCENTE CICLISTA
MONTADO EN SU BICICLETA.
LAS GUERRAS Y EL HAMBRE
ESTÁN MATANDO SIN PIEDAD
A MUCHOS SERES EN ESTE MUNDO;
Y EL ESCAPÍSMO A OTRO RUMBO
DEL SUBCONSCIENTE USAN
ALGUNOS GRUPOS

CON ALCOHOL Y DROGAS
POR SALVAR LA PIEL
DE SU LIMITADO O
INMENSO UNIVERSO.
AFECTADAS EN PUGNAS ESTAN
MUCHAS ALMAS DESESPERADAS
EN BUSCA DE LA SOLUCION
AL ERROR COMETIDO;
SIN QUERER O QUERIENDO.
EXISTE UN DESTINO
DESCONOCIDO PARA
CADA UNO DE NOSOTROS
HABITANTES DE ESTE MUNDO
CON DOS CODIGOS
FUNDAMENTALES
DOS POLOS, DOS CREDOS;
DOS CAMINOS A ESCOGER;
QUE VAN A DETERMINAR
POR EL RESTO DE TUS DIAS.
HAY QUIENES SEGUN
SU MORAL;
NO HACEN NADA INDEBIDO.
SABEMOS QUE EXISTEN
OCULTOS SECRETOS
QUE JAMAS SE DICEN;
QUE SE VAN CON LOS
QUE LO TIENEN GUARDADOS
EN LA CONSCIENCIA.
DICEN QUE HAY SERES
DE OTROS PLANETAS
ACLIMATADOS EN ESTA TIERRA;
DESDE LOS COMIENZOS DE
LA EXISTENCIA HUMANA;
NO SE PUEDEN DESCUBRIR

PORQUE SE MUEREN;
SE SOSPECHA,
MUCHOS DE ELLOS
FUERON AQUELLOS
FAMOSOS ARTISTAS
E INVENTORES QUE
HICIERON ALGO
EXTRAORDINARIO:
DA VINCI, VERNE, DISNEY
Y MUCHOS MAS.
YA SE ESTAN INVENTANDO
LAS COMPUTADORAS
PARA CREAR
LA ARTIFICIAL INTELIGENCIA
DEL PROXIMO SIGLO;
PERO TODAVIA NOS SIGUE
AVISANDO DEL PELIGRO
EL MISMO INSTINTO ANIMAL
QUE TENEMOS LOS HABITANTES
DE ESTE PLANETA NUESTRO;
EL TERCERO DEL SISTEMA SOLAR.
TODOS TRATAMOS DE EVITAR
EL PELIGRO SIEMPRE
CUANDO LO VEMOS LATENTE;
PORQUE EXISTE LA MUERTE
Y TODO SE ACABA
EN EL MUNDO.
COMBATIMOS AL PELIGRO
PARA EVITAR MORIR
POR ALGUN INCIDENTE.
FALTAN TODAVIA
TREINTA Y SEIS PRIMAVERAS
PARA LLEGAR AL FINAL
DEL SIGLO XX

Y TODAVIA Y POR SIEMPRE
PREFERIMOS NO PENSAR
EN EL FIN QUE TENDREMOS;
QUEREMOS TODOS TENER
UNA BELLA MUERTE.
DE TODO LO QUE HUELA
A PELIGRO NOS ALEJAMOS.
HUIR DE LO PELIGROSO
ES ALGO SABIO;
Y EL PELIGRO ES;
QUE NADIE SABRA' JAMAS
COMO VA A MORIR.

*Habana, julio 14, 1964.

"ALMA DESCUBIERTA"

NO LO SOPORTÁSTE, ESTABA MUY FUERTE
PARA TÍ.
LA PRESIÓN TE FUE DETESTABLE;
Y TU AMOR LO VINO A SUFRIR.
ANTIGUOS DOLORES
TE HABIAN ENCERRADO
EN TEMORES Y FRACAZOS;
CHOQUES INTERNOS, DE SOLEDADES
Y QUEBRANTOS.
VIEJAS PASIONES DE TEMBLORES
Y LLANTOS;
LUCHAS, ILUSIONES Y RECHAZOS.
ESTABAS EN UN SÓLO LADO DE LA VIDA,
CON VENTANAS CERRADAS
Y CRUCES FRÍAS.
RODEADA DE ADVERSISAD;
ENVUELTA EN LA AGONÍA.
NOCHES DESVELADAS EN CAMA VACÍA;
SIN CARICIAS, NI BESOS, SIN DELICIAS.
ESPERANZAS AL SOL,
TRISTEZA, MELANCOLÍA;
Y AL FIN TE LÁNZASTE
HACIA LA OTRA ORILLA,
ROMPIENDO AL SALTAR EL ANTIFAZ
QUE CUBRÍA TU PESADILLA;
Y EN ESE VUELO QUEDASTE A LA DERIVA;
¿ESTARÁS DESCUBIERTA EN LA MARAVILLA?
Y EL RITO AMARGO DE TU DOLOR
QUE LLORABA EN TU SONRISA
SERÁ UNA FLOR ABIERTA AL AMOR
EN ESTA NUEVA VIDA.

ALMA DESESPERADA
POR TENER CARICIAS,
TERNURAS, ALMOHADAS TIBIAS;
ESPERA EL ROCE DEL AMOR;
ESPERA CON GRACIA DIVINA
CON FE, CON ESPERANZAS VIVAS
Y VIVE CON ESTA BELLA ILUSIÓN
QUE SE ESCAPA DE LA OSCURA
SOMBRA ASFIXIANTE,
A LA BLANCA LUZ DEL DÍA
QUE TE DARÁ OTRA OPORTUNIDAD
MEJOR EN ESTA OTRA VIDA.

*

"EN BUSCA DE MI VERDE UNICORNIO"

ES UNA DIFÍCIL POSICIÓN
ERGUIRSE COMO UN CABALLO;
PERO COMO ES UN UNICORNIO VERDE
SE HA PARADO EN SUS DOS BELLAS
PATAS TRASERAS
DE TAL FORMA ANGELICAL
QUE ASÍ NINGÚN OTRO ANIMAL
SE HA ERGUIDO NUNCA.
CUANDO SUPE ESO,
DEBÍDO A LA DIVINA OBSERVACIÓN
QUE LE HICE,
COMPRENDÍ, ENTONCES,
QUE LO PODÍA HACER FACÍLMENTE;
OTROS NO LO PODRÁN REALIZAR,
AUNQUE SEPAN ESTO O SEPAN
COMO ÉL LO HACE.
NO TODOS HACEN LO MISMO.
HAY SERES QUE SABEN IMITAR
A OTROS SERES Y OTROS NO PUEDEN.
HAY SERES QUE LEEN MUCHO
PARA TRATAR DE ESCRIBIR UN LIBRO;
Y NUNCA LO LOGRAN.
PORQUE HAN VIVIDO
SIN SU PROPIA HISTORIA.
YO NO SERÉ COMO EL CANGREJO
QUE SE DUERME EN EL AYER;
YO SERÉ COMO EL ESCORPIÓN
QUE SOLAMENTE PIENSA
EN EL GRAN PODER. Y...
EN SOBREVIVIR EN CUALQUIER

DIFÍCIL CIRCUNSTACIA DE LA VIDA.
EN MIS DULCES SUEÑOS
BUSCARÉ A MI HERMOSO
UNICORNIO VERDE ESPERANZA
QUE ME GUIARÁ SONRIENTE
POR LOS SENDEROS DE BONANZAS,
CANTANDO Y RECITANDO SIEMPRE
DULCES POEMAS DEL ALMA.
ESCUCHARÉ LA SUBLIME MELODÍA
DEL AMOR TODOS LOS DÍAS;
ME OLVIDARÉ DE TODOS
LOS DESEGAÑOS DEL PASADO
VIVIRÉ FELIZ Y ALEGRE
CON MI UNICORNO VERDE
QUE NO ME TRAICIONARÁ JAMÁS
Y ME AMARÁ LLENO DE AMOR
POR TODA LA ETERNIDAD
MIO POR SIEMPRE SERÁ
PORQUE MUCHO, MUCHO
ME QUERRÁ.
DESPUÉS DE TODO,
LOS LOCOS PINTAN AL UNICORNIO
DEL COLOR QUE QUIEREN.

*

"PARA PERDURAR EN LA TIERRA"

ES LA IMPORTANCIA QUE TENEMOS
CUANDO NOS DAMOS CUENTA DE
NUESTRA LUCHA POR LA EXISTENCIA
EN ESTE PLANETA DE AGUA, AIRE
FUEGO Y TIERRA.
CADA UNO VIVE SU VIDA COMO PUEDE
Y DE ESA FORMA SIENTE LA REALIDAD
LATENTE DEL MUNDO SIEMPRE
EN LAS MALDITAS GUERRAS.
VIVIMOS CON LA ESPERANZA
DE PREDURAR MUCHOS AÑOS
AUNQUE SUFRAMOS Y LLORAMOS
POR CRUELES DESENGAÑOS.
LOS SUEÑOS SON COMPETITIVOS,
Y TODOS QUEREMOS LO MEJOR
LAS COSAS GRANDE, BELLAS Y
LO MAS SIGNIFICATIVO...
EN ESTA ERA SAGRADA
DE TIEMPO INDEFINIDO.
DONDE LAS FUERZAS DE
LAS MENTES
PODRÁN POR AMBICIÓN
HACER DESAPARECER
DEL GLOBO TERRÁQUEO
A TODA LA HUMANIDAD.
Y NADA DE LO LOGRADO
HASTA AHORA, QUEDARÁ
EN ESTE EXTRAÑO MUNDO.
POR ESO ES MUY IMPORTANTE
PARA AQUELLAS ALMAS
ESPECIALES,

A LAS QUE ME DIRIJO HOY,
QUE SEPAN AGRADAR A DIOS,
AL ÚNICO VERDADERO, DIOS;
AL DIOS DE SUS CONCIENCIAS,
DE LA ESTABILIDAD EMOCIONAL,
Y DE LA ALEGRÍA DE VIVIR,
PARA PERDURAR EN LA TIERRA
EN ESTE AÑO TREMENDO,
DONDE LA HUMANIDAD LLEGÓ
HASTA EL GRADO MALO DEL ODIO
AL CONOCER DE CERCA
¡EL TERRORISMO!
QUE HA SURGIDO DE LA MALDAD
DE UN GRUPO ORGANIZADO
DE EXTRAÑOS SERES EXTREMISTAS
Y PERVERSOS, DIRIGIDOS POR
EL SANGUINARIO ASESINO
KADAFIR DE LIBIA.

*

S.F.May. 11, 1986

FILOSOFÍA

EL HOMBRE LUCHA
POR HAMBRE Y AMOR.
EL GUSTO Y EL DISGUSTO
ES LA DIVISIÓN MENTAL
DE LOS SERES HUMANOS.
Y DE TODAS LAS CRIATURAS
VIVIENTES DE NUESTRO PLANETA.
NUESTRO PRINCIPAL PROPÓSITO
ES AGRADAR A TODOS LOS GUSTOS,
COMO SE LO PROPONEN SIEMPRE
TODAS LAS LUMINARIAS ESTRELLAS
QUE BRILLAN POR SU BELLO ARTE
EN ESTA COMPLICADA TIERRA.
LO QUE NO NOS GUSTA
NOS AVISA PARA QUE
NO LO PROBEMOS.
PERO EL MISTERIOSO
DESTINO DEL HOMBRE
ES QUE LAS COSAS
NO SUCEDEN COMO
UNO QUISIERA QUE SUCEDIERAN.
Y QUE ESTA GRAN VERDAD
LA ASIMILÉMOS CON
DIVINA COMPRENSIÓN
PARA QUE NO NOS AFECTE
NUESTRO DELICADO Y
SENSIBLE CORAZÓN.

*

"LA MADRE"

TODOS NACEMOS DE UNA MADRE;
Y A PARTIR DEL NACIMIENTO
COMENZARÁ LA HISTORIA
DE NUESTRA VIDA.
DICHOSOS AQUELLOS HIJOS E HIJAS
QUE PUEDEN SER CUIDADOS
POR SUS PADRES BIÓLOGICOS
O ADOCTIVOS DESDE QUE NACEN.
PERO SOBRE TODO POR LA MADRE.
EL AMOR MATERNO ES LO MÁS IMPORTANTE
EN UN SER HUMANO.
POBRES DE AQUELLOS INFELICES
QUE LES TOCÓ UNA MADRE MALVADA.
POR SUERTE ELLAS NO ABUNDAN MUCHO
PORQUE LA MATERNIDAD SIMPLEMENTE ES
UNA HORMONA FEMENINA DIVINA
QUE PRODUCE SIEMPRE AMOR.
INCONDICIONAL AMOR MATERNO,
PUREZA DE ALMA Y DULZURA
EN EL CORAZÓN.
BIENAVENTURADOS SEAN AQUELLOS
QUE PUEDAN SER EDUCADOS Y CRECER
EN EL SENO DE UNA FAMILIA FELIZ,
Y NO EN UNA DISFUNCIONAL.
EL DÍA DE LAS MADRES
ES TODOS LOS DÍAS.

*

"PURO SENTIMIENTO"

LOS CORAZONES GRANDES;
LOS CORAZONES PEQUEÑOS
DEBEMOS ESTAR UNIDOS SIEMPRE
POR EL MÁS PURO SENTIMIENTO
QUE EXISTE EN TODOS NOSOTROS
LOS SERES VIVOS.
ESE PURO SENTIMIENTO LEGÍTIMO
QUE VIVE EN NUESTRAS VIDAS,
VIDA LIMITADA QUE TENEMOS
EN ESTE COMPLICADO MUNDO
DONDE NOS TOCA VIVIR
LAS HORAS, LOS MINUTOS,
LOS SEGUNDOS, LOS DÍAS,
LAS SEMANAS, LOS MESES
Y LOS AÑOS, CADA INSTANTE
EN TODOS LOS TIEMPOS;
PARA SENTIR ESE DULCE PLACER
QUE TODOS LLEVAMOS DENTRO
DEL CORAZÓN;
ESE PURO SENTIMIENTO
QUE LLAMAMOS AMOR

*

"ESCÓNDELO"

ESE FALSO ORGULLO MALSANO
ESCÓNDELO, ESCÓNDELO BIÉN,
PARA QUE NUNCA LOS MUESTRES
A NADIE, Y SEA TU PERDICIÓN.
ESCONDE TAMBIÉN TU IRA,
TU GULA Y TU AMBICIÓN.
TODOS TU DEFECTOS MALOS
QUE SERÁN TU DESTRUCCIÓN.
ESCÓNDELOS DONDE NADIE
NUNCA LOS VEA.
ESCÓNDELOS EN TU CORAZÓN
ESCÓNDETE TÚ DESPUÉS
DE LA FRUSTRACIÓN
NO SALGAS A LA CALLE
EXIBIENDO TU DEPRESIÓN
PORQUE NADIE QUERRÁ
MIRARTE ARRASTRANDO
ESA CONDICIÓN.
ESCÓNDELO TODO
OCULTA BIEN TUS PECADOS,
Y CUIDATE DE LA MALDICIÓN.
ESCÓNDELO, O MEJOR
QUÉMALO TODO,
CONVÍERTALO DE UNA VEZ
EN CENIZAS DE CARBÓN

*

"NOS"

CADA 24 HORAS HAY
OTRO AMANECER DE VIDA
EN CADA UNO DE LOS VIVIENTES
DE LA TIERRA PROMETIDA.
CADA SEGUNDO
DE NUESTRO TIEMPO CUENTA
DESDE QUE DESPERTAMOS
PARA SOBREVIVIR
EN SU ESPACIO, EN EL LUGAR,
EN EL TIEMPO
DONDE NOS TOCÓ NACER Y MORIR.
CADA CUAL CON UNA MENTE
SIEMPRE DESPIERTA
Y UN CORAZÓN LATIENDO
PARA AMAR.
CADA UNO EN UNA
CIRCUNSTANCIA DIFERENTE
VIVIENDO EL MOMENTO PRESENTE
DE SU ACTUAL VERDAD,
SIN PODER VOLVER ATRÁS.
CADA UNO CON PACIENCIA
O IMPACIENTEMENTE CON
ESPERANZA, ESPERANDO ALGO
QUE QUIZÁS SE LOGRARÁ.
CON PROBLEMAS DIFERENTES
QUE RESOLVER
EN CORTO PLAZO, LUEGO
O INMEDIATAMENTE.
CADA UNO BUSCANDO AMAR
Y SER AMADO
Y ALGO PARA COMER A DIARIO.
CADA UNO ENVEJECIENDO LENTAMENTE
DESDE EL BENDITO NACIMIENTO.
CADA UNO EN ESTE MUNDO

TIENE AL CIELO POR TECHO
Y A LA TIERRA POR LECHO.
CADA UNO TIENE UNA MISIÓN
EN SU DESTINO MARCADO
CADA UNO SIEMPRE TIENE
ALGO QUE HACER EN SU VIDA
CON SUS DÍAS CONTADOS.
CADA UNO RESPIRA EL AIRE
DEL PLANETA QUE HABITAMOS.
SOLAMENTE SABEMOS AQUÍ
QUE VIVOS ESTAMOS
SABIENDO QUE MORIREMOS
AGUNA VEZ, PERO NUNCA
SABREMOS CUANDO.
ASÍ QUE POR TANTO SABER
SÓLO PODEMOS DECIR
QUE LA SUERTE NOS AMPARE
EL UNIVERSO NOS PROTEJA
Y NOS LLENE DE BENDICIONES
PARA QUE NO NOS FALTE REFUGIO,
CONSUELO, PROTECCIÓN, SABIDURÍA
PARA TOMAR LAS DECISIONES
Y QUE CON SU GRAN AMOR
QUE DIOS TODO PODEROSO
PORQUE SOMOS
INOCENTES PECADORES
POR LOS SIGLOS DE LOS SIGLOS
ALGÚN DÍA NOS PERDONE.

*

"LA LUNA Y YO, CON UNA ESTRELLA"

LA LUNA Y YO, CON UNA ESTRELLA
HABLAMOS DE COSAS HERMOSAS;
NOS DECIMOS CONFIDENCIAS SECRETAS
QUE SON TAN BELLAS Y PRECIOSAS
QUE QUEDAN AMPARADAS SIEMPRE
EN LA NOCHE SILENCIOSA.
LA LUNA Y YO CON UNA ESTRELLA
ATRAVESAMOS LA BRUMA BLANCA;
LA LUNA ILUMINA MIS PASOS LENTOS
Y LE BRINDO MI SONRISA FRANCA.
ELLA RIE FRÍAMENTE ACTIVA
DEL SOLITARIO MOMENTO.
LA LUNA Y YO, CON UNA ESTRELLA
ESTAMOS IDENTIFICADOS.
ELLA ME QUIERE MUCHO
Y YO A ELLA LA AMO.
LA LUNA Y YO, CON UNA ESTRELLA
NOS SENTIMOS ACONPAÑADOS
ME BRINDA SU RAYO DE LUZ
PORQUE ESTAMOS ENAMORADOS
SABEMOS DE CORAZÓN
DESDE LEJOS QUE ESTAMOS
ABRAZADOS.

*

"ÉL"

ÉL, FUE EL COLMO DEL DESPRECIO;
ÉL, FUE COMO UN DESPARPAJO.
NO SÉ HASTA DONDE LLEGÓ EL RÍDICULO,
O FUE LA BURLA DEL DIABLO;
PERO MI AMOR ERA TAN LIMPIO
QUE SE VOLVIÓ DRÁMATICO;
DE REALIDAD Y DE CELOS,
DE PECADO Y PERDÓN,
DE IMPOTENCIA, DE DOLOR
POR EL IDILIO TRÁGICO
DE SU INCOMPRENSIÓN.
TODO POR SU DESPEGO;
TODO POR SU DESAMOR.
ÉL FUE UN AHOGADO SUSPIRO;
ÉL FUE UNA FUERTE COMPULSIÓN
UNA LÁSTIMA, UNA GRAN PENA
PARA MI CORAZÓN.
ÉL FUE UNA LÁGRIMA TRISTE
QUE SE QUEDÓ ESTÁTICA
SIN RAZÓN.
QUE NOS DESGARRA EL ALMA
SIN NINGUNA COMPASIÓN.
ÉL FUE UN FRACAZO, UNA LOCURA
UN ADIOS DE TENSIÓN;
EN UNA SIMPLE PALABRA
DE "GRACIAS" POR SU FALTA DE VALOR.
"EL FUE UN ZORRO, INGRATO
UN INDOLENTE CON MI AMOR;
QUE LE FUE TAN INDIFERENTE
QUE POR POCO MUERO POR
PORQUE NO LE IMPORTÓ.

SU DESPEDIDA FUE MALVADA
PORQUE NO ME SONRIÓ
SE FUE SOLO SIN MIRARME,
SIN DECIRME NI SIQUIERA ADIOS.
FUE UN OLVIDO EN LA DISTANCIA
UN AMOR QUE SE MURIÓ.

*

Noviembre 16, 1983

"DECLINAR DE SOMBRAS"

LA PASIÓN ME HACE DIVAGAR
DETRÁS DE UNA ILUSIÓN REMOTA;
QUE FORMA UN CONFLICTO INTERNO
EN MI ALMA DE ROCA.
UNA SITUACIÓN QUE NO CONFÍA
EN ESPERAR EL CLIMA CULMINANTE
DEL ANHELADO ENCUENTRO.
ATAQUES QUE SE NEUTRALIZAN,
FRENOS QUE NO SE AFLOJA;
SEGUNDOS DESESPERANTES
E IMPACIENCIA TRAIDORA.
UNA PRUDENTE DISTANCIA,
PARA DEJAR QUE OIGA
EL LATIR DE MI CORAZÓN
QUE LLORA.
SOLEDAD QUE PARECE
UN DECLINAR DE SOMBRAS;
POR NO TENER EN ALTO GRADO
EL AMOR SITUADO
AL CALOR DE LAS COSAS.

*

"HACER O NO HACER"

SI NO LO HACES HOY
Mañana LO PUEDES HACER.
SI LO HICISTE SABRÁS POR QUÉ.
SI LO HACES O NO LO HACES,
ESA ES TU DECISIÓN;
SI LO VIVES O NO LO VIVES
SERA' TU RESOLUCION.
SI LO HICISTE O NO LO HICISTE
LO QUE TENÍAS QUE HACER
A LA HORA DE
LA DETERNMINACIÓN
HABRA' LA DUDA
O LA SATISFACCION.
SI LO HACES, QUEDARÁ
LA HUELLA
QUE LO HICISTE.
SI NO LO HICISTE QUEDARÁ
LA TORTURA DEL ¿POR QUÉ?
SI NO LO HACES ¿QUÉ DEJASTE?
¿QUE QUEDÓ? DE AQUELLO
QUE NO SE REALIZÓ.
QUE NO SE HIZO
LO QUE SE PENSABA HACER.
¿QUÉ DEJASTE?
POR DEJARLO ESPERANDO
PARA OTRA OCASIÓN.
NO SE HIZO, NO, NO;
NO SE LOGRÓ EL MOMENTO
Y EL TIEMPO PASÓ.
PERDISTE LA OPORTUNIDAD,
SE POSTERGÓ PARA OTRA OCASIÓN;

NO SE REALIZÓ EL ACARICIADO SUEÑO,
QUEDÓ EL FRÍO DE LA SEPARACIÓN.
PASÓ EL INSTANTE PRECISO DE HACERLO,
SE ESFUMÓ, SE DESVANECIÓ, SE FUE,
EL VIENTO SE LO LLEVÓ.
Y LO HIZO, QUIZÁS CON OTRO SER;
ES NATURAL PORQUE TODO IDILIO
TERMINA EN EL ROMÁNTICO LECHO.
ES LA MEJOR FORMA DE AMARSE;
SOMOS DEL REINO ANIMAL...
ES POR ESA SIMPLE RAZÓN
QUE HACEMOS EL AMOR.
HACERLO ES LA MÁS
TIERNA ALEGRÍA,
AL ENTREGAR NUESTRO CUERPO
AL SEXO.
POR MUTUO ACUERDO SIEMPRE,
POR SUPUESTO.
POR PURO AMOR, POR PURO GUSTO;
PORQUE TODO ES: SI TE AGRADA,
O SI NO TE GUSTA DEL TODO.
SON ESTÍMULOS, COLORES Y SABORES
PARA DELEITARNOS
O RECHAZARLOS;
PARA REÍR O PARA LLORAR...
CON TODO SENTIMIENTO.
PARA RENACER DESPUÉS
DE UN ARDIENTE BESO;
PARA REGRESAR OTRA VEZ
DESPUÉS DE LA DESPEDIDA;
PARA SOPORTAR TAMBIÉN
CUALQUIER DURO RIGOR
CUALQUIER LOCO TORMENTO;
PARA NO RECORDAR JAMÁS

LOS ERRORES DEL PASADO
Y OLVIDAR TODAS LA AGONÍAS
SUFRIDAS EN EL AYER.
PARA REALIZAR ESE SUPREMO DESEO
LARGAMENTE DESEADO.
PARA AMAR MÁS TODAVÍA;
PARA CERRAR UNA VOZ ABIERTA
EN EL OBSCURO SILENCIO;
PARA VIVIR LOS TEMORES DEL MISTERIO;
PARA CANTARLE HIMNOS A LA PASIÓN;
SE NECESITA LA ALEGRÍA;
PARA SENTIR EL AMOR
SIN TENER NINGUNA PESADILLA;
PARA VOLAR ALTO, EXALTADO
VESTIDO DEL MANTO SAGRADO
DE LAS MARAVILLAS.
Y PODER DAR EL SALTO
MAS ALTO A LA PISCINA.
PARA PODER COMER CALMADO,
Y ESTAR CONTENTO CONMIGO MISMO
DÍA TRAS DÍA.
PARA QUE MÁS POEMAS Y CANCIONES
BROTEN DEL ALMA MIA.
PARA QUE AL DESPERTAR AL AMANECER
SIGA LA FIESTA DE MI VIDA.

*

"ELLA ES"

NO ES UN AMIGO;
ES UNA AMIGA,
QUE ME ACOPAÑA SIEMPRE
EN MI LOCO ANDAR;
VOY CAMINANDO ALEGRE
JUNTO CON ELLA;
Y POR LAS NOCHES
ME HACE SOÑAR.
CONTENTO, DICHOSO
CON MI COMPAÑERA,
SONRÍO, A VECES,
DE FELICIDAD...
PENSANDO EN OTROS SERES
QUE LA QUISIERAN,
O QUE LA BUSCAN
CON ANSIEDAD.
SI ELLOS SUPIERAN
QUE YO LA TENGO
Y LA COSERVO CON LEALTAD,
ME ENVIDIARIAN CONSTANTEMENTE
Y BUSCARIAN OTRA IGUAL.
HOY SE LAS PRESENTO A USTEDES
BELLA Y HERMOSA...
AQUÍ LA TRAIGO CONMIGO,
YA LA PUEDEN MIRAR,
LA AMIGA MÍA NO ES OTRA COSA
QUE MI FIEL COMPAÑERA
LA SOLEDAD.

*

"PARA EL AMOR"

¡PARA EL AMOR! ¡PARA EL AMOR!
TODA LA ENTREGA TOTAL
DE LOS SENTIMIENTOS
QUE CONDUCEN A LA FELICIDAD.
PARA EL AMOR, NECESITAS
ESTAR SEGURO DE BRINDAR
EL PLACER SEXUAL...
QUE EL AMANTE DESEA LOGRAR.
PARA EL AMOR HACE FALTA;
LA GUERRA DE LOS SENTIDOS,
LA SORPRESA DE LO INESPERADO
LAS PALABRAS ADECUADAS,
LA QUEJA SILENCIOSA DEL ALMA,
DE CUMPLIR LA MISIÓN IMPERIOSA
A LO PROMETIDO.
PARA EL AMOR HACE FALTA
EL SITIO PARA LA REALIZACION
Y LLEVAR EL SECRETO
BIEN GUARDADO
DESPUES DE LA PENETRACION.
PARA EL AMOR SE NECESITA
AMAR DEMASIADO FUERTE
Y ENCONTRAR ALGO NUEVO
EN CADA INSTANTE DE CARICIAS,
PARA LOGRAR QUE PERDURE
LA PASIÓN DE LOS AMANTES.
Y EL AMOR SEA INOLVIDABLE.

*

"AMADO"

AMADO, BESADO, ACARICIADO
ASÍ ME SIENTO HOY,
CUANDO ESTOY A TU LADO.
TOCADO, TENTADO, ENDULZADO,
NO SÉ COMO PIENSAS TÚ,
PERO ME SIENTO HECHIZADO.
ALABADO, CALMADO, EMBRIAGADO,
ASÍ QUIERO SENTIRME HOY
CUANDO TE HAYA ABRAZADO.
PEGADOS, APRETADO, ALTERADO,
QUIERO QUEDARME ASÍ CONTIGO
CUANDO HAYAMOS TERMINADO.
HALAGADO, FASCINADO, ENCANTADO
ASÍ QUIERO SENTIRME CARIÑO MIO
CUANDO ME BESES TÚ
Y YO TE HAYA BESADO.
ARREBATADO, SIN PECADO,
NO SÉ SI ESTO ES AMOR
PERO ESTOY ENAMORADO.
AMADO, ADORADO, EMBRUJADO,
NO SÉ LO QUE SIENTES TÚ
PERO ME SIENTO APASIONADO.
SENTADOS, ACOSTADOS, PARADOS
HACIENDOTE FELIZ EL AMOR
SINTÍENDOME BIEN AMADO.

*

"CONMIGO MISMO"

Y ME DEJASTE CONMIGO MISMO
Y ME DEJASTE CON MI SOLEDAD;
NOS DESPEDIMOS, HASTA MAÑANA
PARA VOLVER A COMENZAR.
Y ME DEJASTE CONMIGO MISMO;
Y ME DEJASTE CON MI REALIDAD.
ESTA TARDE MUY ENAMORADO
TE HABÍA HABLADO ILUSIONADO
DE TODA LA DICHA Y DE TODO
LO NUESTRO PARA LOS DOS;
TE HABÍA DICHO QUE UN BUEN
AMIGO ERA LO MÁS BELLO DEL AMOR;
ME ACOMPAÑASTE HASTA MI CASA,
PERO NO ENTRASTE POR TEMOR
TE DESPEDISTE AMABLEMENTE
Y ME DEJASTE EN EL PORTAL;
ME SONREISTE SOLAMENTE
NO ME LLEGASTE A BESAR;
Y TE ALEJASTE,
TRANQUILAMENTE,
SIN VOLVER LA VISTA ATRÁS,
PARA MIRARME, PARA QUERERME
PARA HACER MÁS FUERTE
NUESTRA AMISTAD.
PARA BESARTE, PARA QUERERTE
PARA SENTIR NUESTRA VERDAD.
Y ME DEJASTE CONMIGO MISMO,
PARA NO OLVIDARTE, PARA SOÑAR
PARA ESPERARTE, PACIENTEMENTE,
PARA ESPERARTE HASTA EL FINAL.
Y ME DEJASTE CONMIGO MISMO,

HASTA MAÑANA, PARA NO OLVIDAR
QUE ME DEJASTE CONMIGO MISMO,
QUE ME DEJASTE CON MI ANSIEDAD.
Y TE DESPEDISTE COMO SIEMPRE
SILENCIOSO NADA MAS...
Y TE FUISTE CAMINANDO
LENTAMENTE
SIN JAMÁS PENSAR ...
QUE ME DEJASTE CONMIGO MISMO
PARA NO OLVIDARTE, PARA SOÑAR,
PARA ESPERARTE PACIENTEMENTE
PARA DESPEDIRTE EN EL UMBRAL
Y ME DEJASTE CONMIGO MISMO
PARA RECORDARTE, PARA LLORAR
Y ME DEJASTE CONMIGO MISMO
Y ME DEJASTE CON MI SOLEDAD.

*

"DEL JARDÍN AL CIELO"

LOS PÉTALOS DE UNA ROSA
BAÑARON MI ALMA DE CLAVEL;
ME VISTE EN EL LAUREL
CON TU VIDA DE MARIPOSA;
Y YO SENTÍ UNA COSA,
COMO UN LIRIO DEL VALLE;
SENTÍ ALLÁ EN LA CALLE
UN RUIDO TRISTE Y CERCANO;
ERA TU CORAZÓN QUE EN VANO
BRILLABA COMO UNA VIOLETA;
Y SINTIÉNDOME VELETA
DI MEDIA VUELTA Y ME FUÍ,
Y MURIERON LOS ALELIES
DE TUS PROMESAS DE AMOR;
IGUAL A LA BELLA FLOR
DEL JARDÍN DEL EDÉN.
QUEDÁSTE COMO UN LEBREL
SOLO, TRISTE Y LEJANO;
COMO UN CRISANTEMO ROSADO
LLENO DE TUNAS Y DE HIEDRAS;
COMO UN LAGO SIN PIEDRAS,
LIMPIO COMO UN ESPEJO;
SIN REVIVIR LOS ENSUEÑOS
DE LOS PENSAMIENTOS
QUE OLVIDAMOS.
QUEDÁSTE COMO UN PINO RAJADO
Y COMO UN AVE DEL PARAISO;
QUEDÁSTE COMO EL HECHIZO
DEL AZHAR LLENO DE ESPINAS,
QUEDÁSTE CON EL ALMA HERIDA
POR LAS LÁGRIMAS DE CÚPIDO.

Y ASÍ CON MI CORAZÓN HERIDO
NO PENSARÉ MAS EN TÍ;
Y DURMIENDO EN EL CARMESÍ,
SOBRE MI LECHO DE ORQUIDEAS,
QUEDARÉ RENDIDO EN EL CESPED.
SIN NINGUNA PESADILLA.
DESPUÉS CUANDO DESPIERTE;
TÚ YA NO ESTARÁS ...
MIRARÉ MUY LEJOS ALLÁ,
ALLÁ EN EL HORIZONTE
Y VERÉ UN SOL Y UN MONTE
BLANCO COMO LA ESPUMA;
¡VERÉ CAMELIAS! ¡VERÉ PLUMAS!
Y NO SERÁ LA IMAGINACIÓN;
ANDARÉ Y HALLARÉ UN RESPLANDOR
Y UNA LUZ EN MI CAMINO...
Y CAMINARÉ ENTRE LOS PINOS
RESPIRANDO LA NEBLINA;
¡Y VERÉ LAS MARAVILLAS!
SIN SENTIR NINGÚN HASTÍO.
Y TODO HA DE SER MÍO,
SIN ANGUSTIAS, NI PESARES;
PORQUE NO VOLVERÉ A VER
LAS CALLES DE MI INMENSO JARDÍN;
AHORA ESTARÉ EN UN COJÍN,
SENTADO ALLÁ EN EL CIELO;
Y ME CUBRIRÉ CON EL VELO
DE LA FELICIDAD BENDITA;
Y COGERÉ UNA VARITA,
RELÁMPAGUEANDO DESTELLOS.
Y NO SENTIRÉ MAS CELOS,
QUE MARTIRICEN MI CORAZÓN,
PORQUE HE DEJADO DE SER PASIÓN,
PARA SER UNA ESTRELLITA;

QUE BRILLARÁ SOLITA, ALLÁ,
ALLÁ EN LA ATALAYA;
Y ME BAÑARÉ EN LA PLAYA DE
TODA MI JUVENTUD,
PARA TENER UN CONJUNTO
DE MATICES DE COLORES,
PORQUE NO EXISTIRAN AMORES
EN ESTE CIELO PRECIOSO.
BEBERÉ AGUA DEL POZO
DE LA FELICIDAD BENDITA
ARRANCARÉ UNA MOTICA
DE UNA NUBE DE ORO;
Y ME SENTARÉ EN EL TRONO
DE LA CARROZA DE
LOS INMORTALES;
MIRÁNDO A LOS PORTALES
CON LOS NOVIOS DE LA TIERRA,
Y A LOS QUE VIVEN EN LA CAPITAL,
PARA QUE MUERAN EN EL UMBRAL
SIN PIEDAD,
DELÁNTE DE UNA IGLESIA;
PARA QUE NO OLVIDEN LOS BESOS
NI LAS MIRADAS BONITAS
Y PARA QUE NO PIERDAN EL TIEMPO
DESHOJANDO MARGARITAS.

*

"HACIENDO POESÍAS"

Y ME QUEDÉ SOLO Y TRISTE
EN ESTA CASA VIEJA,
HACIENDO POESÍAS;
PARA OLVIDAR AQUÉL
AMOR QUE AQUÍ VIVÍA.
ME QUEDÉ SOLO SIN TÍ,
Y TANTO QUE TE QUERÍA.
PROVOCÁSTE EL DESCONCIERTO
DEL LAZO QUE NOS UNÍA.
AHORA ¿DÓNDE ESTÁS TÚ?
ALIMENTÁNDOTE DE RENCOR...
PARA JAMÁS REGRESAR
AL HOGAR QUE A MI LADO TENÍAS.
¿NO QUIERES VOLVER MAS?
PARA ALEGRAR ESTA CASA VACÍA
Y OLVIDAR TODOS LOS ERRORES
PARA EMPEZAR A VIVIR DIFERENTES,
A QUERERNOS CON MAS PASIÓN;
PARA SENTIR, INTENSAMENTE EL AMOR
Y LLENARNOS DE ALEGRÍA ...
PERO TE FUISTE Y ME DEJASTE
EN ESTA CASA VIEJA Y TRISTE
HACIENDO POESÍAS EN MI SOLEDAD;
PARA NO SALIR A BUSCARTE
Y PEDIRTE QUE VUELVAS A MI LADO.
HACIENDO POESIAS
TE SEGUIRÉ ESPERANDO,
AUNQUE NO REGRESES JAMÁS

*

"NI TAN SIQUIERA"

NI TAN SIQUIERA PIENSO EN TÍ;
NI TAN SIQUIERA ME GUSTAS...
AUNQUE ME DEJO CONDUCIR
POR DIRECCIONES ADSURDAS.
SÓLO ME SIENTO FELIZ,
ALGUNAS VECES CUANDO ME BUSCAS;
NO TE QUIERO DEFRAUDAR;
PERO YO NO TENGO LA CULPA.
QUE NO SIENTA NADA POR TÍ;
PENSÉ QUE PODÍA SER...
PERO LA IDEA FUE NULA.
NO TE QUIERO COMPRENDER...
Y CREO QUE ME DISGUSTA,
QUE ACARICIES UN SUEÑO,
Y PIENSES QUE TE DESEO,
QUE ERES MI PASIÓN...
Y MI LOCURA.
ME MOLESTA CUANDO TE VEO,
QUE SIENTAS TANTA TERNURA
CUANDO PASO POR TU LADO
CANTÁNDOLE A LA LUNA
NO PIENSES MÁS EN MÍ;
SIGUE TU CAMINO FELIZ;
Y LA VIDA DISFRUTA, PORQUE
NI TAN SIQUIERA PIENSO EN TI
NI TAN SIQUIERA ME GUSTAS.

*

"UNIDOS"

ESTAMOS UNIDOS
POR UN HILO INVICIBLE
QUE NOS CONDUCE A LA MUERTE.
ESTAMOS UNIDOS
POR LA PROTECCIÓN DIVINA
CADA CUAL CON SU BUENA
O MALA SUERTE.
ESTAMOS UNIDOS
A LA TIERRA QUE NOS ALIMENTA.
ESTAMOS UNIDOS
POR EL AIRE QUE RESPIRAMOS.
ESTAMOS UNIDOS
POR LOS LAZOS DE SANGRE
QUE HEREDAMOS.
ESTAMOS UNIDOS
PORQUE SOMOS HUMANOS
ESTAMOS UNIDOS
PORQUE SOMOS HERMANOS.
ESTAMOS UNIDOS
POR UN PODER SAGRADO.
ESTAMOS UNIDOS
POR EL SOL Y LA LUNA
POR EL CIELO ESTRELLADO.
ESTAMOS UNIDOS
POR EL AMOR DE DIOS
ESTAMOS UNIDOS
POR EL ODIO DEL DIABLO
ESTAMOS UNIDOS
POR EL MISTERIO DE LA VIDA
ESTAMOS UNIDOS
POR EL AGUA QUE BEBAMOS.

ESTAMOS UNIDOS,
AUNQUE NO QUISIERAMOS
ESTAR AMARRADOS.
ESTAMOS UNIDOS
SIN PODER LIBERARNOS.
ESTAMOS UNIDOS
POR LA FUERZA MAGNETICA
DEL PLANETA QUE HABITAMOS.
ESTAMOS UNIDOS SOLAMENTE
PARA SALVARNOS.

*

EL PODER

PODER PARA HACER
TODO LO QUE DESEO
PODER PARA LOGRAR
TODO LO QUE ANHELO.
PODER PARA REALIZAR
TODOS MIS BELLOS SUEÑOS.
PODER SÓLO QUIERO
EN ESTE TIEMPO
DONDE CASI TODO ES DINERO.
CONTROLAR EL PODER TOTAL
DE TODO EL UNIVERSO
ESA ES LA AMBICIÓN DE ALGUNOS
JEFES ALTOS DE GOBIERNOS.
PODER VIVIR SIN SOBRESALTOS
TEMORES Y MIEDOS
ES LA ILUSIÓN DE MUCHOS
QUE NACEN DESCONFIADOS
BAJO ESTE INMENSO CIELO.
PODER EXTERMINAR DE LA TIERRA
LOS CELOS RIDÍCULOS
DE LAS MENTES
Y LAS TERRIBLES GUERRAS
SERIA ALGO IDEAL PARA
ACABAR DE UNA VEZ
CON LOS IGNORANTES Y
CON LA MALDITA MISERIA.
EL PODER CONSTRUYE
EL PODER DESTRUYE
EL PODER DE LA VIDA
EL PODER DE LA MUERTE
EL PODER DE LOS RICOS

EL PODER DE LOS POBRES
EL PODER DE LOS NOBLES
EL PODER DE LOS MALVADOS.
PODEROSOS PODERES
TIENE EL HOMBRE
SIN SABER APENAS COMO
UTILIZARLOS.
EL PODER DEL BIEN
Y EL PODER DEL MAL
SE UNEN A LA VEZ
CON EL PODER DEL MAR.
EL PODER DEL UNIVERSO
ES MUY FUERTE
CREADOR DE LA VIDA
Y DE LA MUERTE.
PODER HABLAR, PODER GRITAR
Y CANTAR
PODER REIR, PODER LLORAR
Y CALLAR.
PODER VIVIR EN ABSOLUTA LIBERTAD
SIN PODER OCULTAR TODA LA VERDAD.
PODER DECIR CON SINCERIDAD
LO QUE PUEDE EL PODER
DE LA AMISTAD.
TANTOS PODEROSOS PODERES
HAY EN ESTE REDONDO MUNDO
DONDE TODOS PODEMOS
TENER ALGÚN PODER NATURAL
PARA LOGRAR LO QUE QUEREMOS
ALGUNA VEZ REALIZAR.

*

"NADA, NI NADIE"

NADA NI NADIE LO PODRÁ EVITAR
NI EL CALOR QUEMANTE
DEL DESIERTO GOBI
NI LA LUNA LLENA DE
LAS NOCHES GLACIALES
NI EL FUEGO DEL INFIERNO
DE SATANÁS
NI EL VALLE DE LAS MIL COLINAS
NI LAS CUMBRES BORRASCOSAS
NI EL OSCURO MAR EN INVIERNO
NI RICARDO CORAZON DE LEON.
NI EL REY DE ORO, NI EL DE COPAS
NI EL DE BASTO, NI EL DE ESPADAS
NI EL DE CORAZONES ROJOS O NEGROS
NI LA CRUEL MADRASTRA DE LA CENICIENTA
NI ALICIA EN EL PAIS DE LAS MARAVILLAS
NI EL GENIO DE LA LAMPARA DE ALADINO
NI LA REINA DE LAS HADAS
NI LAS FEAS BRUJAS DE SALEM
NI BLANCANIEVES Y LOS 7 ENANITOS
NI EL GATO CON BOTAS
NI EL LOBO DE LA CAPERUCITA ROJA
NI MANDRAKE EL MAGO
NI EL CONDE DRACULA
NI FRANKENSTEIN
NI EL VAMPIRO DE DUSSELDORF
NI EL MONSTRUO DE LA LAGUNA NEGRA
NI LOS SIETE PECADOS CAPITALES
NI LAS PIRAMIDES DE EGIPTO
NI LA MUJER MARAVILLA
NI EL SABUESO DE LOS BASKERVILLES

NI SUPERMAN, NI BATMAN
NI EL HOMBRE ARAÑA
NI EL CAPINTAN TORMENTA
NI LAS LLUVIAS DE RANCHIPUR
NI LOS VOLCANES ACTIVOS DE LA TIERRA
NI LOS TESOROS DEL REY SALOMON
NI EL ZORRO ENMASCARADO
NI EL PRINCIPE VALIENTE
NI ALÍ BABÁ Y LOS 40 LADRONES
NI EL MASAJISTA ICHI
NI LA HEROINA MULAN
NI LA CIEGUITA OICHI
NI LA NIEBLA DE LONDRES
NI LA VENGANZA DEL HOMBRE LOBO
NI LA ENVIDIA MALIGNA
DE LOS MALVADOS
NI EL ÁNGEL EXTERMINADOR
NI LOS SERES DE OTROS PLANETAS
NI LOS PLATILLOS VOLADORES
NI LA CERA VIRGEN DE LAS COLMENAS
NI LAS ARENAS DEL DESIERTO DE SAHARA
NI LAS AVES NEGRAS DEL MAL
NI EL LLANERO SOLITARIO
NI LA HECHICERA CIRCE
NI LA MONA LISA
LAS NIEVES DEL KILIMANJARO
NI LA BESTIA GOZZILA
NI LAS ABEJAS ASESINAS
NI LAS PIRAÑAS DEL RIO AMAZONA
NI LOS PECES ROJO
NI MOBYDICK LA BALLENA BLANCA
NI LOS TRES MOSQUETEROS
NI EL CONDE DE MONTECRISTO
NI LA MALA MESALINA

NI EL PANTANO DE LAS ÁNIMAS
NI LOS DISCIPULOS DEL DIABLO
NI EL FANTASMA DE LA ÓPERA
NI LA REBELION DE LOS GLADIADORES
NI LOS CUATRO JINETES DEL APOCALIPSIS
NI EL ABOMINABLE HOMBRE DE LAS NIEVES
NI JIM DE LA SELVA AFRICANA
NI TARZAN EL HOMBRE MONO
NI EL COLOSO DE RODAS
NI FU MAN CHU, NI CHAN LI PO
NI NINGÚN MÉDICO CHINO
NI LAS SERPIENTES VENENOSAS
NI LOS ESTRANGULADORES DE BOMBAY
NI LOS TRES MONOS SABIOS
NI LA MOMIA AZTECA
NI LA REINA DE LAS NIEVES
NI LA NIÑA DE LOS FÓSFOROS
NI POLIFEMO, NI ULISES
NI EL HOMBRE DE HIERRO
NI EL ESCORPION NEGRO
NI LA ANACONDA MAYOR
NI LA MAMBA NEGRA
NI EL JOROBADO DE NOTRE DAME
NI EL PIRATA HIDALGO
NI LOS SIETE SAMURAIS
NI LOS PERROS CON RABIA
NI LOS TIGRES DE BENGALA
NI EL LEON DE LA METRO
NI LAS MARIPOSAS NOCTURNAS
NI EL FRIO DEL POLO NORTE
NI LAS TORMENTAS,
NI LOS SUNAMIS
NI LOS TEMBLORES DE TIERRA
NI EL TIFUS, NI LA TOSFERINA

NI LA VARICELA, NI EL EBOLA
NI LA POLIO, NI LA FIEBRE AMARILLA
NI EL MORTAL SIDA
NI LA MALARIA
NI EL TETANOS, NI LA VIRUELA
NI LA TUBERCULOSIS
NI ESE FATAL CORONA VIRUS
NADA NI NADIE NUNCA
JAMÁS PODRÁ LOGRAR
ACABAR CON LA BENDITA
GENEROSIDAD HUMANA.

*

"FLORES DE CARNE"

SOMOS FLORES DE CARNE
EN EL VERGEL DE LA VIDA
MARCHITÁNDONOS
BAJO EL CIELO AZUL
NEGRO O ROJO
DEL TIEMPO PASANDO
IMPLACABLE SIN SENTIRSE
CADA SEGUNDO
QUE NO PERDONA
COMO EL MAR PROFUNDO
Y VORAZ.
VIVIMOS EN ESTE FÉRTIL
PLANETA LLAMADO TIERRA
DONDE NACEMOS INOCENTES
CRIATURAS EXCLUSIVAS
DE LA SUERTE ECHADA
POR EL DESTINO...
QUE NOS TOQUE VIVIR.
A CADA CUAL LE TOCARÁ
SU MISIÓN AL NACER
EN SU BELLO PAÍS
DONDE DIOS ONIPOTENTE
DESDE LA ETERNIDAD
DEL FIRMAMENTO
SABE LO QUE PASARÁ
CON NOSOTROS
LOS MORTALES TERRÍCOLAS
QUE VIVIMOS ESPERANDO ALGO
BAJO ESTE GRAN SOL
QUE NOS QUEMARÁ LAS ALAS
COMO QUEMA LAS FLORES

Y LAS VARIADAS ROSAS
QUE EMBELLECEN
Y PERFUMAN
LOS PRECIOSOS JARDINES
DE ESTE MISTERIOSO MUNDO
Y MUEREN MARCHITA
CADA ATARDECER.

*

"LA BELLEZA"

LO BELLO DE LA VIDA
ES LA ALEGRIA DE VIVIR
CADA DIA Y DISFRUTAR
LAS NOCHES TIBIAS
Y FRIAS CON EL MISMO AMOR FELIZ.
LO BELLO NOS IMPRESIONA
Y DELEITA LA MIRADA.
LA MAGNIFICENCIA
DE LAS BELLAS ARTES,
NOS HACE SENTIR ESA
UNICA EMOCION DE FELICIDAD.
SOMOS AMANTES DE LA BELLEZA
GENUINA, DE LA PERFECTA.
LO BELLO PUEDE SER
MUY CONTRADICTORIO,
LO BELLO PUEDE
PERTURBAR ALGUNAS MENTES.
LA BELLEZA SE PUEDE
DESCUBRIR DE REPENTE
LA BELLEZA SE SABE APRECIAR
SIEMPRE
DESDE PUNTOS DE VISTAS DIFERENTES.
POR LO BELLO VIVIMOS LOS HUMANOS,
POR LO BELLO AMAMOS Y VALORAMOS.
LA BELEZA MAS VERDERA QUE HAY
EXISTE POR DENTRO NO POR FUERA.
LO FISICO SE CONSIDERA HERMOSO
CARA, BRAZOS, MANOS, PIERNAS
PELO, CEJAS BARBAS BELLAS.
PAISAJES UNICOS QUE NOS OFRECE

LA SABIA NATURALEZA.
TODO DE ALGUNA MANERA
NOS PUEDE RESULTAR BELLO.
TODO ES BELLEZA.

*

"LA MUERTE NO EXISTE"

LA MUERTE SOLO EXISTE
CUANDO TE OLVIDAS
DE LOS FALLECIDOS.
PORQUE EN NUESTRO MUNDO
NADIE DESAPARECE
COMPLETAMENTE.
MIENTRA NO OLVIDEMOS
A LOS FIELES DIFUNTOS,
QUE SE NOS FUERON,
ESOS MAGNIFICOS SERES
QUE TANTO AMAMOS EN VIDA.
ELLOS ESTARAN CON NOSOTROS
EN NUESTROS CORAZONES SIEMPRE.
EN CUALQUIER MOMENTO
QUE LOS RECORDEMOS
CON AMOR
VOLVERAN A RENACER
EN NUESTROS PENSAMIENTOS
RECORDADOLOS, REVIVIENDO
AQUELLOS DIAS PASADO
QUE DISFRUTAMOS JUNTOS.
YO ESTOY MUY SEGURO
DE AFIRMAR QUE:
LA VERDADERA MUERTE ES
CUANDO OLVIDAS
COMPLETAMENTE TODO.
LAS VIVENCIAS SIEMPRE
PERDURAN EN LA MENTE
Y EN EL CORAZON.
LOS DOS UNICOS SITIOS
QUE TENEMOS NOSOTROS

PARA GUARDAR ESOS
GRATOS RECUERDOS IMBORRABLES
DE NUESTRA AMADA EXISTENCIA.
LA MUERTE SOLO PUEDE EXISTIR
EN ESTA TIERRA
CUANDO LOGRAMOS OLVIDAR
A LOS AQUE AMAMOS
Y UN DIA SIN QUERER
PARTIERON A LA ETERNIDAD.

*

"LA INMENSIDAD"

MIRAMOS A LO LEJO Y VEMOS
¡LA INMENSIDAD!
LA DE LOS CIELOS ABIERTOS
LA DE LA TIERRA LEJANA
LA DEL TIEMPO LARGO Y CORTO
LA DEL MISTERIO DE LA NADA
LA DE LA VIDA DIARIA
LA DE LA MUERTE ESPERADA
LA DEL RECUERDO GUARDADO
LA DE LA PENA INFINITA
LA DEL SUFRIMIENTO ESCONDIDO
LA DE LA ANGUSTIA CALLADA
LA DEL CORAZON CONTENTO
LA DEL EXITO ALCANZADO
LA DE LA VENGANZA MALDITA
LA DE LA IRA PROVOCADA
LA DE LA SIMPLE SONRISA
LA DE LA AMARGURA ETERNA
LA DEL ORGULLO SENTIDO
LA DE LA ALEGRIA DE VIVIR
LA DE RESPIRAR PROFUNDO
LA DE SABER REIR Y LLORAR
LA DEL PERDON ESPERADO
LA DE LA ULTIMA ESPERANZA
LA DE AQUELLOS COMBATIENTES
LA DE LOS SIGLOS PASADOS
LA DE LOS IGNORANTES TODOS
LA DE LOS POBRES INOCENTES
LA DE LOS SABETODO
LA DE LOS ENFERMOS TERMINALES
LA DE LOS QUE SIEMBRAN EL ODIO

LA DE LOS QUE NUNCA LLEGARON
LA DE LOS QUE SE FUERON MURIENDO
LA DE LOS QUE SIN QUERER
SE QUEDARON
LA DE LOS SOLDADOS
DE LAS GUERRAS
LA DE LOS CIVILES HONESTOS
LA DEL PERDON ESPERADO
LA DEL PECADO COMETIDO
LA DE LOS QUE ESPERAN ALGO
LA DE LA LUNA LLENA
LA DEL SOL EN VERANO
LA DE ESTAR ENTRE TINIEBLAS
LA DE LA DUDA MALVADA
LA DE LOS SOBREVIENTES
LA EXTENSION DE TODAS LAS COSAS
SIEMPRE EXISTIRA EN NOSOTROS
MIREMOS AL HORIZONTE
A LA INFINITA INMENSIDAD.

*

"AÑO DEL TIGRE"

No te asustes, no.
Ni te mandes a correr
Porque estamos ahora
En el Año del Tigre
pero no te voy a arañar
con mis garras felinas
Ni te voy a morder
Con mis colmillos afilados.
Aunque sabes que soy una fiera
Cuando me provocan las ganas
De pelear con los retadores
Que son peligrosos y también
Silenciosos haciendo daño
A la humanidad presente
Preparado estaré cuando
Llegue ese esperado momento
Del señalado encuentro destinado
Física y mentalmente te retare›
Para vencerte y continuar
Siendo el tigre vencedor
En esta ciudad mágica
¡SAN FRANCISCO!

*

Febrero 22, 1986

"PIELES"

PIELES DE SERES DE LA TIERRA
PIELES CLASIFICADAS POR SU COLOR
ASI NACE LA RAZA HUMANA
LLENA DE ORGULLO Y ESPLENDOR.
LA PIEL NOS PROTEGE DEL FRIO
Y EL CALOR
Y NOS DISTINGUE
IDENTIFICANDONOS
EN ESTE MUNDO DE AMOR.
QUE NOS DIVIDE Y CLASIFICA
SEGUN EL GRADO DE PIPMETACION.
DEL CONTINENTE EUROPEO
LOS DE PIEL BLANCA
CREAN LA CIVILIZACION.
A LOS DE PIEL OSCURA
LO LLAMAN NEGROS
NATIVOS DEL CONTINENTE AFRICANO
QUEMADOS POR EL FUERTE SOL
LOS ASIATICOS SON DE PIEL AMARILLA.
LOS INDIOS PIELES ROJAS O COBRIZO SON.
LA PIEL BRINDA ATRACCION SEXUAL
A OTRA PIEL DIFERENTE QUE SIENTE
LA FUERTE PASION.
LA PIEL PROVOCA AMOR Y ODIO
VIVIMOS PARA SALVAR LA PIEL
SEA DE CUALQUIER COLOR.

*

"INSPIRACION"

''INSPIRACION''
PARA LOGRAR UN POEMA DE
AMOR CORRESPONDIDO
HAY QUE ESTAR MUY ENAMORADO.
ENTONCES SURGE EL DIVINO MILAGRO
LA INSPIRACION DEL ALMA
QUE NACE SOLA, ESPONTANEA
Y PERMITE DECIRLE AL SER AMADO
LAS SENTIDAS PALABRAS SINCERAS
QUE ESCUCHARA CON AGRADO
LLEGANDOLE A CONMOVER EL ALMA.
LLENA DE FELICIDAD LOGRADA.
SOMOS DICHOSOS HOY LOS DOS
AMO Y ME AMA INTENSAMENTE
BESA Y BESO CON TODA MI PASION.
ME SIENTO MUY FELIZ HOY DIA
CON LO QUE TENGO.
NOS SENTIMOS PLENAMENTE
REALIZADOS HOY.
DURE LO QUE DURE NUESTRO IDILIO
SERA LO QUE QUIERA DIOS.
PERO AHORA PUEDO AFIRMAR
QUE HE LOGRADO ESTE TRIUNFO
TAN GRANDIOSO DEL AMOR.

*

"LO MERECIDO"

MERECES LO QUE TE PERTENECE TENER
AUNQUE SIEMPRE DESEAS ALGO MEJOR.
LO QUE ESPERAS Y
NO ESPERABAS RECIBIR
DE LA VIDA QUE TE TOCO VIVIR.
MERECEDORES SOMOS
DE TENER BUENA SALUD,
DINERO Y DE ENCONTRAR EL AMOR.
DE REALIZAR TUS ANHELOS Y PLANES,
DE TENER UNA BUENA COMPENSACION.
LUCHAR POR LO QUE MERECE LA PENA
ES LOGRAR LA MAYOY SATISFACION.
LUCHAR POR UNA CAUSA JUSTA ES
MERECER UN RECONOCIEMTO
DE HONOR.
Y PARA ESOS MALVADOS CRIMINALES
QUE CAUSAN DESTRUCCION,
LES LLEGARA TARDE O TEMPRANO
RECIBIR SU CASTIGO MERECIDO
Y NO TENDRAN SALVACION.
MERECEDORES SOMOS
LOS QUE SEGUIMOS VIVOS
DE DISFRUTAR DE TODAS
LAS COSAS BELLAS,
SANAS Y DELICIOSAS QUE
NOS BRINDA LA VIDA.
MERECEMOS VIVIR EN PAZ Y ARMONIA
EN ESTE MUNDO DONDE NACIMOS
PARA MERECER LA GRACIA DIVINA
Y LAS BENDICIONES DE DIOS.

*

"NO ES MIO"

ESTO NO ES MIO, PERO LO REPITO YO,
LO DIJO ALGUIEN DEL PASADO
Y ES BUENO QUE NO SE OLVIDE HOY:
"PARA GUSTO SE HAN HECHO LOS COLORES,
PARA JARDINES LAS VARIADAS FLORES."
APRENDEMOS SABIAMENTE SI LEEMOS
LOS REFRANES QUE EXISTEN
DE LA HUMANIDAD
QUE PREVALECEN POR
TODA LA ETERNIDAD.
EN ESTE MUNDO TODO TIENE REMEDIO
MENOS LA INEVITABLE MUERTE
QUE NOS LLEGARA' A TODOS ALGUNA VEZ.
LA MUERTE ES LO MAS SEGURO QUE EXISTE
NADIE SE SALVARÁ DE MORIR EN ESTE MUNDO.
ACTUALMENTE SOLO QUEDAN VIGENTES
ALGUNAS HUELLAS DEL PASADO
COMO PRUEBAS LATENTES
DE TODO LO QUE SUCEDIO'
DESDE EL COMIENZO DEL PLANETA
AUNQUE A CIENCIA CIERTA
NADIE ASEGURA LO
QUE DE VERDAD PASO'.

*

"LIMITACIONES"

CREO QUE TODO TIENE SU LIMITE
AUNQUE ALGUNOS DIGAN QUE NO.
PORQUE EL QUE SE PASE DE SU LIMITE
PERECERA' POR SU EQUIVOCACION.
Y NO TENDRA' SENTIDO SU ALTERACION.
HASTA CUANDO DEBEMOS DE SOPORTAR
UN PESADA CARGA O UNA HUMILLACION.
¿CUANTO ES EL LIMITE DEL SUFRIMIENTO?
¿CUAL EL LIMITE DEL DOLOR?
HASTA QUE PUNTO SE PUEDE VIVIR ...
¿EN LA POBREZA O EN LA DESESPERACION?
DEBEMOS LIMITARNOS A ACEPTAR BIEN
LO QUE PODEMO HACER Y LO QUE NO.
VIVIMOS LLENOS DE LIMITACIONES
QUE NOS CONTROLA TODA LA PASION.
NUESTRA EXISTENCIA ESTA LIMITADA
PARA LOGRAR LA SALVACION.
LIMITANDONOS VIVIMOS TODOS
DE LOGRAR O NO LOGRAR
NUESTRA EFECTIVA SOLUCION.
LIMITADOS TODOS ESTAMOS
AUNQUE ALGUNOS DIGAN QUE NO.

*

"SUFRIR"

SUFRO Y SIGO SUFRIENDO
POR LOS DIFERENTES SUFRIMIENTOS
DE NUESTRA RAZA HUMANA.
SUFRIR POR ELLO
ME HACE SENTIR MAS ALIVIADO
AL SENTIR ESE DOLOR INTENSO
DE ESA GENTE QUE EN DIFERENTES
PAISES PADECEN PENA GRANDE
POR UNA DESGRACIA OCURRIDA.
LLANTO PURO DEL ALMA SUFRIDA
LAGRIMAS AMARGAS DEL CORAZON.
UNIRME A ELLOS TODOS POR SUFRIR
SUFRIMOS Y LLORAMOS JUNTOS
POR LO QUE NOS HA SUCEDIDO
EN NUESTRA VIDA.
SUFRIENDO LA PROFUNDA LUCHA
POR SOBREVIVIR EN EL LUGAR
DONDE NOS TOCO' NACER;
PARA CUMPLIR NUESTRO DESTINO.
SEGUN DONDE NAZCAMOS
PODEMOS SUFRIR MENOS,
PERO TODOS SUFRIREMOS MUCHO
POR ALGUN MOTIVO DE LOS
MILES DE MOTIVOS PENOSOS
QUE TENEMOS LOS HUMANOS
PARA SUFRIR Y PADECER POR ESA
RAZON.
LAS GUERRAS HAN HECHO SUFRIR
A TODAS LAS GENERACIONES
SEGUN LAS SAGRADAS ESCRITURAS;
TODOS SUFRIMOS Y HASTA

LOS RICOS SUFREN MUCHO
Y LLORAN POR UNA PENA.
SOMOS MUY FUERTE DE ESPIRITU;
ESTAMOS CREADOS EN ESTE PLANETA
PARA SUFRIR Y PARA AMAR.
SUFRO Y SUFRIRE TAMBIEN
POR LOS QUE SUFRIERON MUCHO
EN LOS SIGLOS PASADOS, SOBRE TODO
DE LOS SUFRIMIENTOS DEL SIGLO XX.
LA PRIMERA Y SEGUNDA GUERRA MUNDIAL.
LOS HORRORES QUE SUFRIERON
ESOS INOCENTES JUDIOS
EN ESOS MACABROS
CAMPOS DE CONCENTRACION.
CRIMENES DE GUERRA,
MALTRATOS A Niños Y MUJERES.
EL SUFRIMIENTO INMENSO
DE LOS ILEGALES QUE CRUZAN
LA FRONTERA PARA LOGRAR
UN FUTURO MEJOR EN LA VIDA.
SOPORTANDO Años SUFRIENDO.
QUE SERA'? QUE SERA'?
NADIE LO SABE...
PERO SI SEGUIMOS VIVIENDO
LO SABREMOS.

*

www.ingramcontent.com/pod-product-compliance
Lightning Source LLC
Chambersburg PA
CBHW070759120626
46557CB00002B/671